呪われた世界史

歴史をつむぐ血と悲劇の連鎖

歴史ミステリー研究会編

彩図社

はじめに

人類はこれまで何度も危機に直面してきた。

もっとも新しい例は、2020年初頭から世界中を混乱におとしいれた新型コロナウイルスだが、歴史を見てみると、他の事例も多い。

たとえば、世界が「スペイン風邪」に襲われたのは、今からおよそ100年前のことだ。この感染症では、世界の人口の3分の1から半数近くが感染し、4000万人から5000万人が命を落とした。

疫病だけではない。突然起こる火山の噴火、地震、サイクロンなども多くの人々の命を奪っている。病気や天変地異、気候変動などがトリガーとなって、過去多くの人命が奪われてきたのだ。

しかも、それらが単体で完結するとは限らない。

冒頭に書いたスペイン風邪の大流行は、第一次世界大戦のさなかでの出来事だった。そのため、戦後賠償の交渉に大きな影響を与え、ひいてはヒトラー率いるナチスの台頭やその後の差別・虐殺などにつながっていった。ひとつの出来事だけでも悲劇と言えるのに、それが別の悲劇につながってしまうことも多いのだ。

また、森林伐採などの人が環境に与えてきた変化が、近年になって今度は自分たちの首を絞めているケースも多い。あるいは人間同士の争いが別の争いを招き、泥沼の様相をもたらすことも珍しくない。ときに悲劇や闘いは連鎖するのだ。

このような連鎖はなぜ起き、どのようにつながっていったのか、そして人はどのように乗り越えたてきたのか、あるいは乗り越えられなていないのか。そうした世界の歴史をつむいだのが本書である。

ひとつの出来事がさらなる悲劇につながる――「呪われた」と言っていいほどの連鎖の中で私たちは生きているのかもしれない。

その一端を、本書で確かめていただきたい。

2020年10月

歴史ミステリー研究会

もくじ

1章　災害がもたらす悲劇

2章 特異な文化・思想

3章 疫病との戦い

4章 人をとりまく環境の異変

5章 人間同士の争い

1章

災害がもたらす悲劇

2020年台風第８号バービー（NASA）

一夜にして街を消滅させた
ヴェスヴィオ山の大噴火

富と欲とが交錯していた街ポンペイ

歴史上でもっとも有名な火山噴火のひとつがヴェスヴィオ山の大噴火である。

約１９００年前に大噴火したことで知られるこの火山は、イタリアのカンパニア州にあり、ナポリ湾に面している。ヴェスヴィオ山とソンマ山というふたつの山頂を外輪山が円弧状に取り囲む形をした、いわゆる複合成層火山である。

ヴェスヴィオ山の周囲にはいくつもの街があったが、なかでも有名なのは**ポンペイ**だろう。

当時のポンペイの人口は約2万人で、ローマとアッピア街道をつなぐ中継都市として栄えていた。また、商業もさかんで、とくにワインの醸造で大きな富を得たと考えられている。さらには、商人向けの娼館も多く、おおらかな性の街としても栄えていた。

「ポンペイ最後の日」(ブリューロフ画)

のちに発掘された娼館の壁画には、男女の交わりを描いたものも数多く見出すことができる。いってみればポンペイは、人間の富と欲とが交錯し、共存する、じつに人間臭い都市だったのである。

ポンペイが壊滅したのは西暦79年のことだったが、じつはそれ以前の62年にも近辺一帯を大地震が襲ったため、ポンペイは壊滅状態になっていた。

当時のローマ皇帝ネロは復興に力を注ぎ、元の街の姿を取り戻そうとしたが、そのポンペイを再び悲劇が襲う。それがヴェスヴィオ山の大噴火である。

火砕流によって一瞬にして消えた街

噴火は夏の盛りの8月に起こった。

まず一昼夜にわたって**火山灰**が降り注ぎ、大量の

ヴェスヴィオ山の火口とポンペイの街は約８km離れている。（©iStockphoto.com/boerescul）

軽石も空高く噴き上げられた。噴煙は20キロメートルの高さまで立ち上ったといわれる。

そしてその翌日、今度は推定で高さ5メートルにもおよぶ**火砕流**が時速100キロメートルで押し寄せた。火砕流とは、火山物質やガスや水蒸気などが数百度という高温のままであふれ出て流動化したものである。それが街全体を一瞬にして飲み込んだのだ。

ポンペイの街の犠牲者は約2000人とされるが、一説には約1万人の市民のほとんどが犠牲になったともいわれる。さらには遠方からの来訪者の犠牲も多かったといわれる。

また、ポンペイは港湾都市だったため、**大きな津波**にも襲われた。当時の人々は津波というものを知らず無防備だったために、被害が拡大したとも考えられている。

火山灰の中に取り残された遺体

ポンペイの存在は、長い間人々に忘れ去られていた。当時の遺跡が発見され、本格的な発掘作

噴火の犠牲になった人々の石膏像（©iStockphoto.com/sestovic）

業が始まったのは1748年のことだ。

発掘調査では住居はもちろん、公衆浴場や劇場、また下水道のシステムなどもそのまま発掘されている。美術品や歴史的価値のある建造物も残っている。

また、馬具がつけられた状態の馬も発見されている。おそらく、馬に乗って逃げようとした人がいたのだろうが、乗る前に火砕流に飲み込まれたのではないかと推測される。

逃げようとする人々は高温の火山灰に閉じ込められた状態で発掘された。当時の人々は、なすすべもなく無防備のままで火砕流に飲み込まれていったのである。

遺体は長い年月を経て朽ち果てたが、地中には人の形の空洞が残った。その空洞の中に石膏を流し込み、逃げ遅れた人々の最期の瞬間を石膏像として再現するという試みもされている。

また、有毒ガスにまかれて窒息死した犠牲者もいた。

保存状態の良いフレスコ画。当時の人々の儀式を描いたものと考えられている。（©Raffaele pagani/CC BY-SA 4.0）

恐怖を感じる間もなく、一瞬で体液が蒸発した人も多かったと考えられる。

噴火のエネルギーは広島型原爆の約10万倍、温度が300度にも達したと推定されている。そんななかで、人間はあまりにも無力なのだ。

ヴェスヴィオ山の噴火の被害を受けたのはポンペイだけではなかった。ヘルクラネウム、オプロンティスなどの街も失われた。

オプロンティスには皇帝ネロの妻ポッパエアの別荘もあった。62年の大地震で被害を受けたため噴火当時は使われておらず、人的被害はなかったものの、建物は火山灰で埋まってしまった。もっとも、そのおかげで、フレスコ画やモザイク画が状態の良いまま保存され、現在の私たちの目を楽しませてくれている。

現在ではこれらの地域はユネスコの世界遺産に登録され、世界中から訪れた観光客を感嘆させている。

今後100年の間にまた噴火する？

ヴェスヴィオ山は、その後もたびたび噴火を繰り返している。1631年の噴火では約4000人の死者が出たし、1944年に噴火したときには1万2000人が避難した。今後100年間にも大噴火が起こる可能性があるともいわれており、そのために現在もセンサーや環境衛星によって常に監視され、地震や地熱、地下水やガスの様子が計測されている。

火山付近には今も都市があり、とくに危険なエリアに約65万人の住民が生活している。人命だけでなく、この付近には貴重な歴史的文化財も多い。それらを守るためにも、現在、噴火を想定したさまざまな防護対策が練られている。

自然災害の脅威は、ローマ時代も今も変わることはないのだ。

歴史の流れ

ヴェスヴィオ山の大噴火が起こりポンペイなどの街が消滅する

▼

約1700年後に遺跡が発見され世界遺産となる

▼

再噴火の可能性が指摘されている

海洋国家ポルトガルを没落させた
リスボン大地震

無計画につくられた都市で起こった悲劇

イベリア半島の大西洋側で、スペインに囲まれるように位置する国がポルトガルだ。その首都リスボンは、おだやかな気候と歴史のある港町として知られ、日本からも毎年多くの観光客が訪れる。

しかしこの街が、かつて大地震による壊滅的な打撃を受けたことを知る人はあまりいないだろう。その地震は後世にも大きな影響を残すことになる。

とくに地震学の歴史の中ではけっして見過ごすことのできない災害だった。

地震が発生したのは１７５５年11月１日の午前９時40分のことだ。**マグニチュード８・５〜９・０**という大きな揺れが西ヨーロッパを襲ったのだが、最大の被害を受けたのがリスボンである。

火災と津波によって破壊されるリスボン

当時の同市の人口は約27万人だったが、約9万人前後が犠牲になったといわれている。

揺れは3分、あるいは6分も続いたと考えられる。リスボンの中心地には幅5メートルの地割れができ、市内の建物の8割以上はそれに飲み込まれるように倒壊した。

もともと狭い土地に無計画に建物を造ってできた街だったので、道路が入り組んでいるし、もちろん避難所などもない。市民らは逃げ場を見つけることができず、崩れ落ちてくる建物の下敷きになるなどして次々と命を落とした。

また、多くの地域で火災が多発し、それによる火災旋風によって街は数日間も燃え続けた。その火災によって命を落とした人も多かったという。

さらに15メートルにもおよぶ津波も押し寄せた。もちろん、当時は津波による被害など想定しておらず、大西

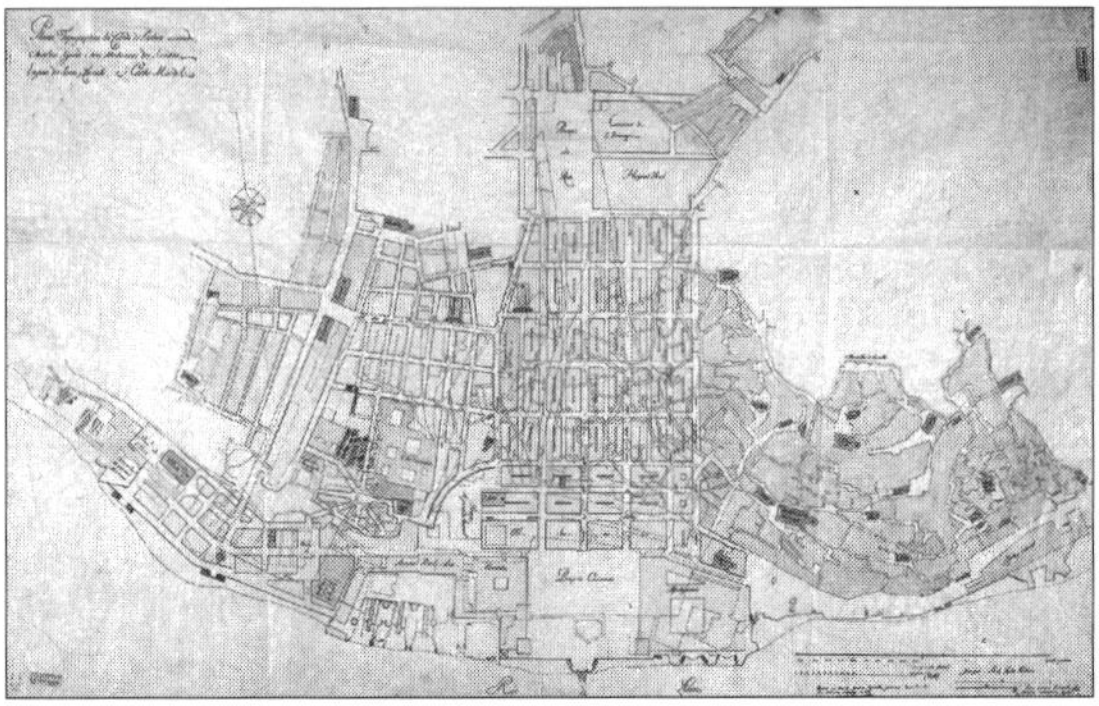

都市プランナーによるリスボンの都市計画図（1755年）

洋に面していながらまったく無防備な状態だったので、津波だけで約1万人にものぼる人命が奪われたと考えられている。大地震が起こることなど想像もしなかった場所を突如《とつじょ》襲った巨大地震は、あまりにも大きな惨劇を引き起こしたのである。

しかし、それだけにこの災害は、結果的にさまざまな形で世界の歴史に変化をもたらした。

国家が復興に乗り出す

まず、その被害があまりにも大きすぎた。国民の生活に大きな打撃を与えたために、人間と自然災害の関係の歴史にそれまでにはなかった新たな扉が開くことになった。**地震後の対応と復興のすべての責任を国家が背負った**のである。

現在ではこれは当たり前のことだが、歴史的にはリスボン大地震が初めてだった。これこそ、この地震がのちに「近代的災害」と呼ばれるようになった所以《ゆえん》である。

その背景には、ある事情があった。

地震が起こった11月1日は、カトリックの聖人を称える日にあたり、多くの人々は教会でミサに参加していた。そんな時に起こった大地震を人々は**「神がくだした罰」**と受け止めたのである。

荒廃した街では略奪が横行した。奥の方では、略奪者が絞首刑にされている。（ドイツの銅版画）

聖職者たちは「神罰論」を唱え、ひたすら祈ることでしかこの苦難を乗り越えることはできないと説いた。そのため、誰も復興に向かって動こうとせず、ただひたすら祈り続けた。今では考えられないことだが、当時はそれが当たり前のことだった。

そんな状況のなかで、カルヴァーリョという一人の政治家が行動を起こした。

進歩的な西洋科学の知識と合理的な思想の持ち主だった彼は、何もせずにただ祈るだけの民衆に対して、復興に向けて立ち上がり、自分たちの手足を動かして行動するように呼びかけた。そのことが人々の意識を変化させ、本格的な復興が始まったのだ。

まず、食糧難を乗り切るために国中から食べ物が集められた。また、同時に価格統制令が出されて、物価の高騰が回避された。

治安が乱れて強盗などの犯罪が増加したので、街の目立つところに処刑場をつくり、犯罪者を公開で厳しく処罰することで市民に理性的な行動を促した。

リスボンはもともと貿易都市だったので、やがてヨーロッパ各地からさまざまな援助物資が届き、仮設住宅が造れるほどの資材も集まった。

今では当たり前とも思われる**「国家による復興への動き」**は、このリスボン地震によって初めてつくり上げられたのである。

そして、これを機にヨーロッパ社会全体で、科学と技術の発展の歩みの中に「自然災害から人間と社会を守るにはどうすればいいか」という新しい視点が生まれた。こうした中で耐震建築が考え出され、地震のメカニズムを科学的に探究する「地震学」が始まったのである。

ポルトガルの国力が弱まり国際的地位が低下する

しかしその一方で、この災害はポルトガルという国家のあり方そのものに大きな打撃を与えた。

それまでのポルトガルは、世界の海を支配し、その力を背景にして経済的な繁栄を誇っていた。

世界遺産にも登録されているベレンの塔は、ヴァスコ・ダ・ガマの世界一周の偉業を記念して造られたものだ。まさに、大航海時代を築き上げた国のひとつだったのだ。

歴史の流れ

巨大地震がポルトガルの首都リスボンを襲う

▼

国家による復興というスキームが作られる

▼

力を失ったポルトガルが長い低迷期に入る

リスボンにある「発見のモニュメント」。大航海時代の栄光の面影を残している。
(©Rodrigo Tetsuo Argenton/CC BY-SA 4.0)

ところが、大地震によりポルトガル経済は大きな打撃を受けた。国内経済が衰退し、その分を植民地経営に依存するようになったが、本国の経済が力を失ったために植民地経営も低迷し、結果的にポルトガルの国際的地位は低下していったのだ。

それは**「失われた250年」**という長期間の衰退として今も続いている。言い換えれば、ひとつの地震が大航海時代の一翼を担っていたひとつの国の存在感を失わせ、国の運命を大きく変えてしまったのである。

江戸幕府をゆるがした
富士山の宝永大噴火

現在の富士山の姿をつくった大噴火

数々の名画にも描かれ、おだやかなたたずまいを見せる富士山には、今では日本人だけでなく海外から登山に訪れる人も多い。日本人にとっては精神的支柱のひとつともいえる山だが、過去には何度か大噴火を起こしており、大きな被害をもたらしてきた。

過去に起こった富士山噴火は、さまざまな形でその記録が残されている。

なかでもとくに大きかったのは、江戸時代中期の１７０７（宝永４）年12月16日の午前10時頃に起こった、いわゆる「宝永噴火」である。この噴火によって、現在の私たちが目にする富士山の形ができ上がった。

東海道新幹線や東名高速道路から富士山を見ると、山の右側に巨大なくぼみがあることがわか

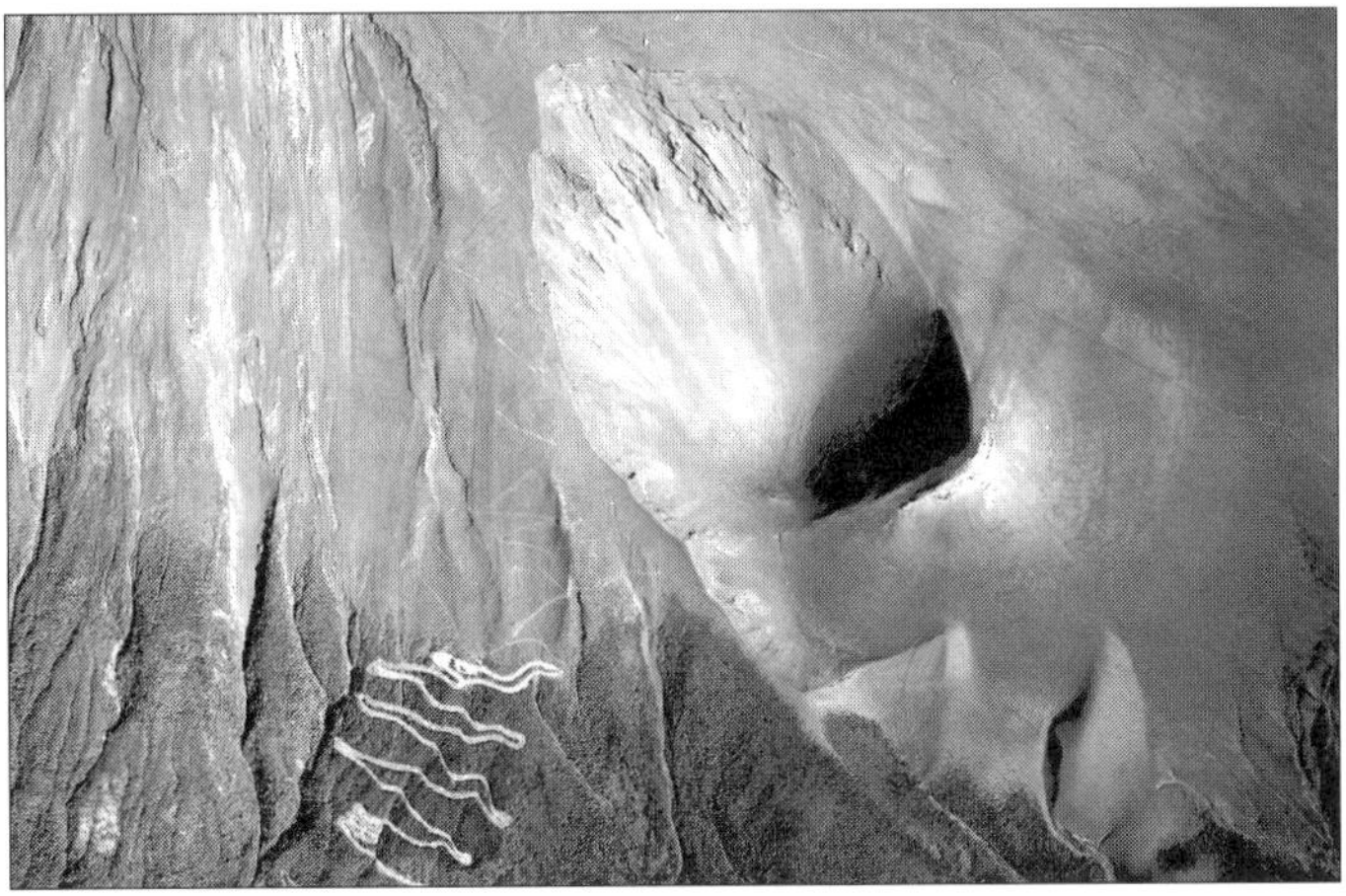

宝永噴火の火口跡。下の方に富士山スカイラインがつづら折りに続いている。（© 国土画像情報（カラー空中写真）国土交通省）

る。これが、宝永噴火の時の火口の跡、いわゆる宝永火口だ。富士宮ルートから富士登山をする人は、途中でこの火口を間近に見ることができる。

富士山頂にある火口は直径約700メートルだが、この宝永火口は**直径約1000メートル以上**もある。いかに宝永噴火が大きな規模だったかがわかる。

江戸にまで届いた振動

南東の山腹（宝永火口）から始まった噴火は、大晦日の12月31日まで続いた。

噴煙は約2万メートルにまで立ち昇り、黒煙とともに噴石や灰などが噴き出し、ふもとの村々をあっという間に飲み込んでいる。

さらに、火山礫《かざんれき》や火山灰は偏西風に乗って広範囲に広がり、被害は房総半島や静岡あたりにまでおよんだ。

噴火の被害の様子（北斎画『富嶽百景』より）

江戸の町にも灰は届いている。

当時、江戸幕府に勤めていた伊東祐賢《すけかた》という旗本が、そのときの様子を『伊東志摩守日記』に書き残している。

これによると、「南西の方に青黒い山のような雲が多く出た。地震でも強風でもないのに、家が震え、障子は強く鳴った。風は少しも吹いていなかった」「南の方で雷が鳴り出し、黒雲の中で稲妻が光った。雷が鳴り出す前には強い震動もあった。北の方へは白い雲がおおい、ねずみ色の灰のような砂が降ってきた」という。

火口から約１００キロメートル離れた江戸でこのような状態だったというのだから、噴火の衝撃のすさまじさがうかがえる。

同右

火山灰は数センチ積もり、昼間でも薄暗く、ロウソクを灯さなければ生活ができないほどだった。また、降り注いだ灰がチリとなって舞い上がり、そのために呼吸器疾患にかかる人が続出したという。

また、御殿場では火山灰が2メートル以上積もったという記録がある。富士山麓にあった須《す》走《ばしり》村（現在の静岡県小山町）では、熱せられた岩石によって37戸が焼失し、ほかの39戸は火山灰の重みで倒壊した。また、皆瀬川《みなせがわ》村（現在の神奈川県山北町）では、降灰のために12戸が崩壊している。

なお、宝永噴火はいわゆる「プリニー式噴火」と呼ばれるもので、大量の噴石や火山灰、火山ガスが噴出したが、マグマは流出しなかった。これは不幸中の幸いだった。もしもマグマが流出していたら被

大涌谷ではしばしば富士山の噴気が見られる。（©663highland/CC BY 2.5）

害はさらに拡大したに違いない。

なお、噴火の約2ヵ月前には、**「宝永の大地震」**と呼ばれる巨大地震が起こっている。マグニチュードは推定8・6で、震源は紀伊半島沖だったが、この地震のあと富士山では有感地震が急増した。これが富士山の噴火の引き金になったと考える研究者も多い。

幕府も被害を止められなかった

この宝永噴火でもっとも大きな被害を受けた土地の大部分は、当時の小田原藩領だった。

藩はもちろん復興に努力したが、あまりにも被害が甚大だったために、救援のために米を支給するのが精一杯で、その後の復旧対策は幕府に委ねるしかなかった。

時の将軍である徳川綱吉らは被災地を幕府直轄領に編入し、全国から救援資金を集めたり、河川の復旧工事のための補助金を支給するなどして復興に尽力した。

しかし、堆積した火山灰の量があまりにも膨大だったため、復旧作業はなかなか進まなかった。大雨が降ると溜まっていた火山灰が川に流れ込み、水をせき止めてたびたび堤防の決壊を招いた。そのために足柄平野などは土砂に埋まり、あたりの村々も大きな被害を受けた。

その後、一応の復興をみたのは、およそ20年後のことだった。宝永噴火は、長い間、**二次災害によっても人々を苦しめ続けた**のである。

宝永噴火以降、富士山は噴火していない。しかし活火山である以上、その活動は続いている。とくに山頂から南東方向に位置する場所では、江戸末期から昭和時代の中ごろにかけて、噴気活動が続いている。２０１２年には三合目付近でわずかな噴気が観測されている。

富士山は今も噴火の危険をはらんだ山だということを、災害大国日本に住む以上は忘れることはできないのだ。

歴史の流れ

富士山が大噴火を起こし火山灰が広域に降る

▼

江戸幕府も手をこまねくほど大きな被害が出る

▼

二次災害によっても人々が苦しめられる

バングラデシュ独立のきっかけとなった
ボーラ・サイクロン

史上最多の犠牲者を出したサイクロン

大きな自然災害は、時として、国の歴史を変えてしまうこともある。

１９７０年の「ボーラ・サイクロン」がまさにそれだ。この巨大サイクロンは、パキスタン国内に大きな混乱と動揺をもたらし、その結果、**国は分裂した**のだ。

当時のパキスタンは、インドを間に挟んで国土が東西に分かれていた。

１９７０年11月12日、ベンガル湾沿岸にある東パキスタンのボーラ地方（現在のバングラデシュにあたる地域）を最大風速51メートルという未曽有の巨大サイクロンが襲った。

ちょうど満潮の時刻だったこともあり、地域にあった村々は最大10メートルに達した高潮による壊滅的な被害を受け、沖合の島々も短時間で飲み込まれた。

ボーラ・サイクロンによって壊滅状態になった集落（写真：AP/アフロ）

最大の被害地となったベンガル湾岸の街タズムッディンでは、人口16万7000人のうち、じつに45％が犠牲となった。

全体の死者数は少なくとも20万人以上、最悪の場合50万人に達するといわれているが、あまりにも悲惨な状況だったため、正確な数字は今もわかっていない。

情報伝達の不備が被害を拡大させる

被害が甚大になった原因のひとつには、情報伝達の不備が考えられる。

このサイクロンの進路と勢力の大きさについては、ベンガル湾に停泊していた多数のインドの船舶が把握していたといわれる。一般的な認識では、大きな被害をもたらす可能性がある自然災害の情報は、国境を越えて広く

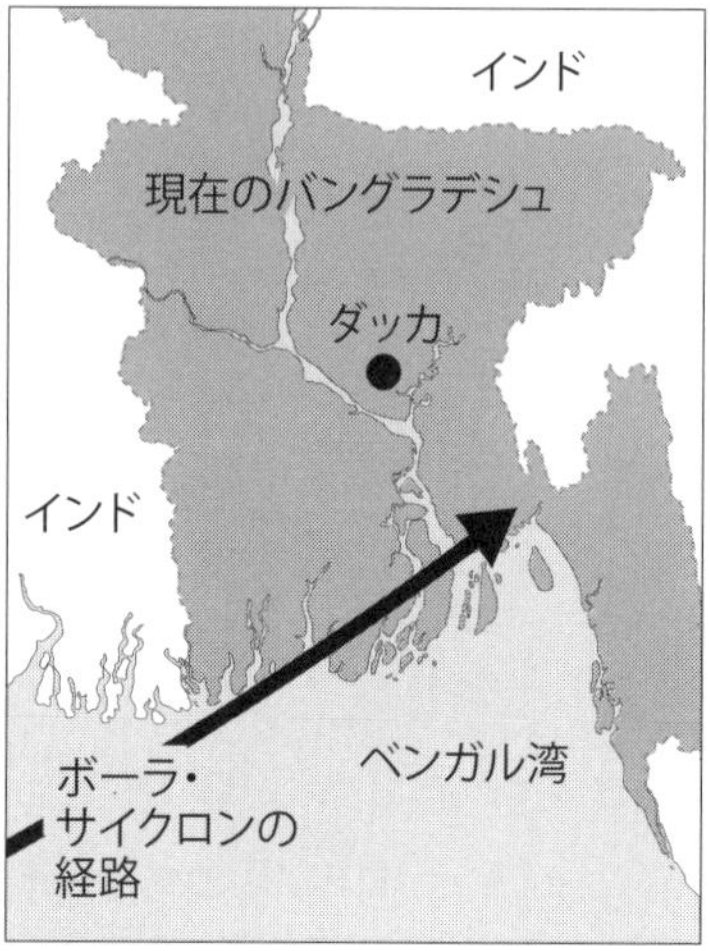

通達されるのが本来の姿だ。しかし、インド側はその情報をパキスタン側にきちんと伝えていなかったのではないかと考えられているのだ。

さらに不幸なことに、当時パキスタン国内の気象警報システムが正常に機能していなかったといわれる。そのため、もっとも警戒すべき高潮の危険についてはまったく伝えられず、住民の多くは避難施設に逃げることもなかった。その結果、多くの人が無防備なまま高潮の犠牲になったのだ。

じつはこの地域は、過去にも大型サイクロンに襲われて多数の犠牲者を出した経験があった。だから情報が正確に伝わり、高潮への警戒を呼びかけていれば、数十万人の命は救えたのではないかといわれている。

東西パキスタンの関係が悪化

ボーラ・サイクロンが人々にもたらした被害はそれだけでは終わらなかった。

被災地では、多くの住民が漁業と農業とで生計を立てていた。しかし漁船が損壊して多くの漁民が仕事ができなくなったうえ、農作地も大半は水没し、多くの家畜が死んだために食糧難が広がった。そのため、サイクロン発生から3ヵ月が過ぎた時点でも、なお約75％の住民が食糧の援助を受けなければならない状況だった。

深刻な被害のあった東パキスタンでは、「西パキスタンにあった中央政府が災害に対して消極的な救助活動しかしなかった」と激しい非難が起こった。

ジョージ・ハリスンが 1971 年に主催した難民救済コンサートのポスター

もともと東パキスタンと西パキスタンは格差問題などにより関係が悪く、常に対立していた。

そんななかで西パキスタンの中央政府が被災地への救援を遅らせるなどしたものだから、東パキスタンの被害はますます拡大していった。

たとえば、西パキスタンから物資運搬用の軍用ヘリを飛ばそうとしても、途中にあるインドが領空の飛行を許可しない

第３次印パ戦争中、現バングラデシュの港町ナラヤンガンジが攻撃される様子。（1971年）

という理由で、東パキスタンに物資が届かないなどの事態が起こった。これをきっかけに、東西パキスタンの関係はさらに悪化した。

また、東パキスタンの都市ダッカでは、西パキスタンの中央政府の怠慢と無関心さに対して抗議デモが開かれたり、大統領への辞任要求運動が起こったりした。

国内は乱れ、与野党の対立をはじめ市民運動などが激化していった。これがもとになり、同年12月の選挙では東パキスタンの野党が勝利をおさめている。

そこで中央政府は議会開催を遅らせることで対抗したが、それに対して東パキスタンでは民衆が反旗を翻《ひるがえ》し、ついに東パキスタンと中央政府との間で激しい政争が始まり、そのまま内戦状態へと発展してしまったのだ。

インドの介入と国家独立

さらに問題を複雑化したのは、インドの介入である。

歴史の流れ

風速51メートルの
巨大サイクロンが
パキスタンを襲う

▼

東パキスタンと
西パキスタンの
対立が激化する

▼

東パキスタンが
バングラデシュと
して独立する

インドの指導者ガンジー（左から４人目）、バングラデシュの初代大統領ラフマン（右上）、パキスタンの５代大統領スフラワルディー（左から２人目）がそろった一枚。（1946年）

もともと西パキスタンの中央政府と対立していたインドが東パキスタンを支持したことで、そのまま**第三次印パ戦争**へと突き進んでしまった。

この戦争がインドの勝利で終わったことで、東パキスタンは独立し、**バングラデシュ**という国となった。ボーラ・サイクロン襲来から約1年1ヵ月後のことである。

ボーラ・サイクロンとは、ひとつの国で内戦を引き起こし、大国が絡んだことで大規模な戦争になり、最終的に国家を分裂させたのである。

フランス革命の遠因になった
ラキ火山の噴火

１７８３年の「砂の夏」

ラキ火山は、アイスランド南部にある。周囲にはグリムスヴォトン火山やカトラ火山などいくつもの火山があり、ひとつの火山帯をなしている地域だ。

ラキ火山が噴火したのは、１７８３年のことである。長さ26キロメートルにわたって１３０もの火口ができるほどの大規模な線状噴火だった。高さが最高で１４００メートルに達する溶岩噴泉が５ヵ月にわたって噴出したと推定されている。そして、大量の溶岩とともに二酸化硫黄や硫黄酸化物、フッ素化合物などが大量に噴き出したのだ。

付近の牛や馬、羊が大量に死に、農業・牧畜業は致命的なダメージを受けた。それによって引き起こされた飢饉《ききん》のために、アイスランド国内の約２割の人々が命を落としたといわれる。

ラキ火山（©47Mhg491Vgb/CC BY-SA 2.0）

しかし、噴火による影響はアイスランド国内だけではおさまらなかった。高さ15キロにも達した噴煙は、噴火による空気の対流に乗って広い範囲に広がった。

火口から噴出したフッ化水素ガスは８００万トン、二酸化硫黄ガスは1億２０００万トンにものぼったといわれている。

その結果、１７８３年の夏は**「砂の夏」**と呼ばれたが、これらのガスにより、西ヨーロッパでは数万人が死んだといわれる。イギリスには二酸化硫黄による死者の数の記録が残っているが、それによると2万３０００人の死者が出たというのだ。

ガスによる死者だけではない。ヨーロッパ全体で不作による食糧不足が起こり、餓死者も約９０００人出たといわれる。人々は貧困にあえぎ、社会的な不安も広がった。噴出物によって空気中に舞っているチリのために赤く染まった太陽を見上げながら、人々は明日も無事に生きていけるかどうかに怯えていたのである。

さらに、その影響は海を越えた。1784年の冬は、アメリカにも記録的な寒波が押し寄せてメキシコ湾に氷が浮いたり、ミシシッピ川が凍るなどの現象が見られた。

天明の大飢饉もラキ火山の噴火が原因？

じつは、日本へも影響をおよぼしている。ラキ火山の噴火直後に、浅間山が噴火を起こした。このふたつの噴火の相乗効果によって引き起こされたのが**天明の大飢饉**だといわれているのだ。

浅間山の噴火はラキ火山と同じ1783年の7月（旧暦）に起こったが、ちょうど稲の穂が出始める時期だったので、農家は大打撃を受けた。江戸へ送る米はもちろん、自分たちで食べる分の米さえも収穫できなかった農民たちは各地で一揆や打ちこわしを起こした。

また噴火の噴出物により川底が浅くなり、その結果、洪水が頻発した。この大飢饉は、当時の老中田沼意次の罷免という事態を招いたが、それでもなかなか収束しなかった。

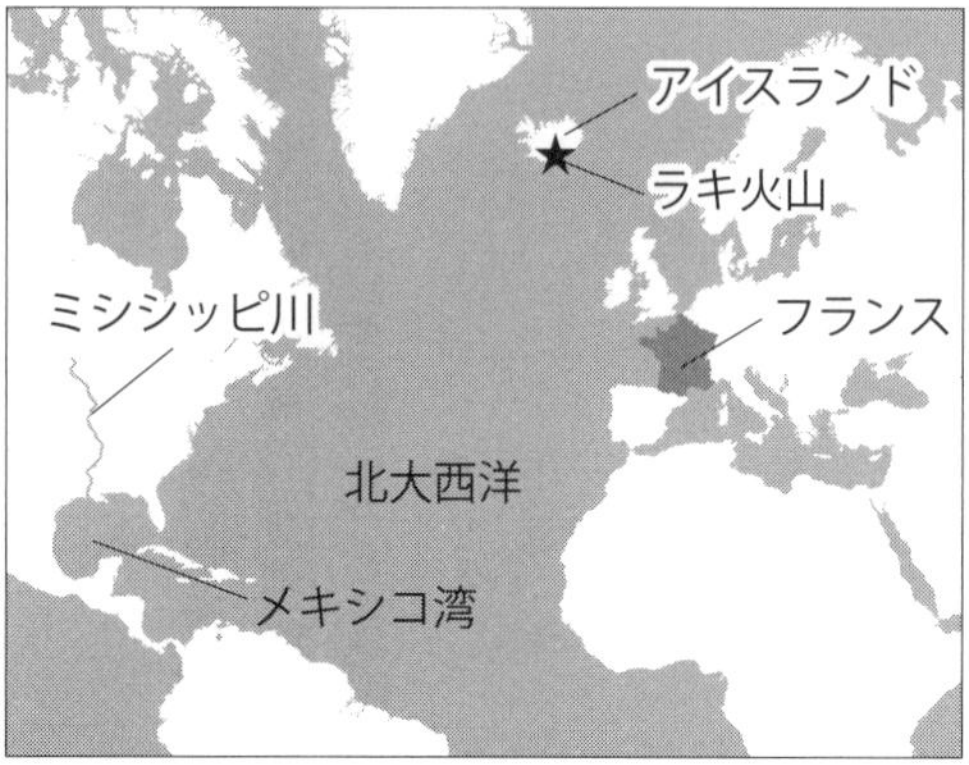

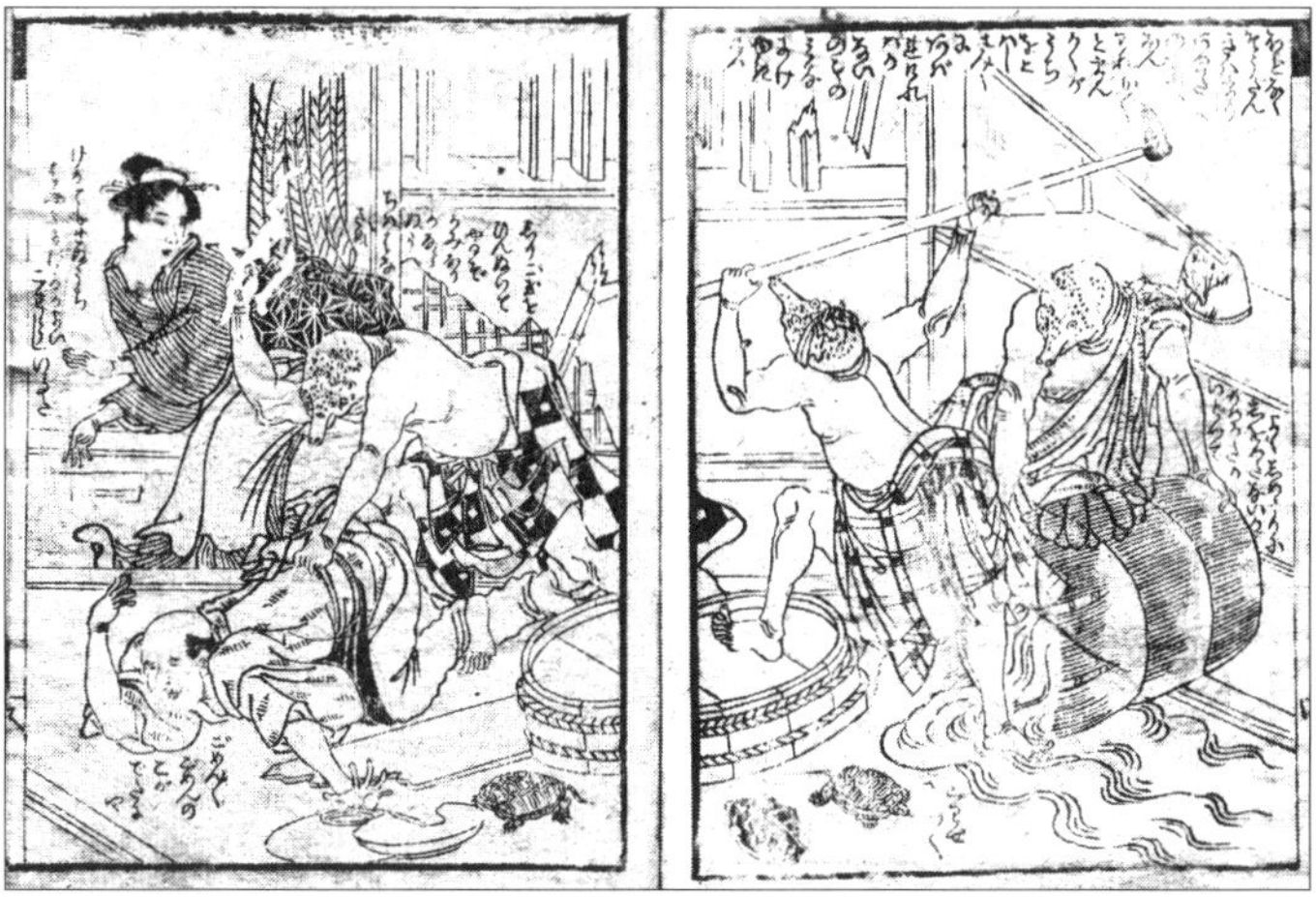

天明の大飢饉によって飢えた人々は打ちこわしを起こし、その様子は風刺画にも描かれた。（『新建哉亀蔵』より）

近年の研究では、江戸時代の民衆を苦しめたこの大飢饉の原因は、浅間山の噴火よりもむしろ、ラキ火山の噴火の影響のほうが大きかったのではないかという説も出ている。噴火の規模としては、ラキ火山のほうが浅間山の比較にならないほど大きかったからだ。

もちろん、当時の日本人は浅間山の噴火のことは知っていても、ラキ火山噴火については誰も知らなかったはずである。しかしラキ火山の噴火は、遠い異国である日本にも歴史を変えるほどの大きな影響を与えていたのだ。

民衆の不満がフランス革命を引き起こす

ひとつの火山が大噴火を起こせば、その影響は国

バスチーユを襲撃する人々（ウエル画）

境など関係なく世界中に広がる。しかも、それが長い期間にわたることも多い。

フランスもまたラキ火山の深刻な影響を受けた。パリ市民の中には、空気を吸い込んだだけで肺に異常をきたし、呼吸困難で死ぬ人が相次いだ。目の前で苦しみながら死んでいく人の姿を見て、人々は明日は我が身かもしれないと恐れをなしていたという。

さらには農業にも大きな影響が出て、食べるものにも困るようになった。

1788年にはフランス全土が旱魃《かんばつ》に襲われたうえに、大規模なひょうの被害も出ている。そのために小麦が不足して、主食のパンの価格は高騰し、フランス国民は飢えに苦しんだ。

パリ市内では暴動が起こり、治安が乱れた。パンを買うことができずに飢える民衆を見たマリー・アントワネットが、「パンがないなら、ケーキを食べればいいのに」と言ったという逸話があるが、それはこの時期に生まれた話である。

貧しい民衆が起こした暴動は反政府デモへと発展し、１７８９年の7月14日、ついにバスチーユ監獄への襲撃という形で爆発した。この出来事が**フランス革命の勃発**へとつながっていったのである。

その後紆余曲折を経て、当時の王ルイ16世とその妻マリー・アントワネットはギロチンにかけられ、フランスは共和制の国として新しく出発することになる。

ラキ火山の噴火から革命が起こるまでには数年かかっているが、民衆の不満を形成した要因として、ラキ火山の噴火はけっして無視できない。火山の噴火が人類の歴史にいかに大きな影響を与えるのかをラキ火山は教えてくれている。

歴史の流れ

ラキ火山が噴火し噴出物が空気中に飛散する

▼

健康被害と不作で世界各地で多数の死者が出る

▼

民衆の不満がフランス革命を引き起こす

中国の進む道を変えた
唐山地震

河北省を襲ったマグニチュード7・8の直下型地震

中華人民共和国の北東部にあり、渤海《ぼっかい》湾に面した一帯は河北《かほく》省と呼ばれる。その中心都市のひとつが唐山《とうざん》市で、８００万人弱が住む、国内でも優れた港を持つ重工業都市だ。

現地時間の１９７６年７月28日３時42分、その唐山市の付近をマグニチュード７・８の直下型地震が襲った。これが世にいう「唐山地震」だ。

このとき、中国政府は死者の数を24万人と発表したが、アメリカの研究機関の推計では死者が65・５万人、さらには70万人以上という説もある。いずれにしても、**20世紀に起こった地震の中でもっとも犠牲者の多い大災害**となった。

唐山市だけに限って被害を見ると、死者は14万８０００人、重傷者８万人を数え、これは唐山

唐山地震直後の風景（写真提供：中国通信/時事通信フォト）

市民の約2割にあたる。また、住宅の全壊はじつに94％にのぼっている。

中国ではそれまで南部の上海や西部においては大地震を経験していたが、東部では過去数千年の間、大きな地震の記録はなかった。

ただ、もともと唐山の市街地には北北東から南南西に向かって走る断層があるのはわかっていた。

唐山地震は、その断層に向かって大規模な水平方向のずれが生じたことが原因で起こった。これはまったく予想外の出来事だった。

それまで大地震の記録がなかったために市内の建物の多くは耐震構造になっておらず、ほとんどが無防備だった。家屋などの建物の多くはレンガを積み上げただけの単純な造りの構造が多く、それが直下型の地震の揺れによって一瞬で倒壊したのだ。そのため、犠牲者の多くは逃げる余裕もないままに圧死したといわれる。

なお、唐山火力発電所の発電機据付工事に携わっていた技術者2名とその関係商社の社員1名、計3名の日本人もこの大地震の犠牲になった。

毛沢東による文化大革命と大躍進政策

この大地震により、中国有数の工業都市だった唐山市はほぼ壊滅状態となった。中国経済への影響もけっして小さいものではなかった。

ところが、中国政府は海外からの援助を一切拒絶し、その被害の詳細を公表することもしなかった。そのことがこの地震による被害をより大きくしたといわれており、実際、今もなお犠牲者の数や被害状況の詳細はわかっていない。唐山地震のことが日本に伝えられたのも、発生から21時間もたってからのことだった。

それにしてもなぜ、そんな事態になったのか。そこには中国の近代史を語るうえで欠かすことのできない、ある歴史的な大事件が関わっている。この唐山地震そのものが、中国の歴史に多大な影響を与えたともいわれているのだ。

じつはこの1976年は、いわゆる**「文化大革命」**の末期にあたる年だった。文化大革命は、中国の歴史の中でも最大の汚点のひとつといわれる政変だ。その中心人物である**毛沢東**は、1958年からの3年間**「大躍進政策」**によって中国を繁栄に導こうとしていた。しかし計画は失敗し、経済的な大混乱を招いて食糧難が起こり、国家主席の座は毛沢東から劉少奇《りゅうしょうき》に譲られた。劉少奇は鄧小平《とうしょうへい》らと手を結び、従来の社会主義に市場経済を導入した新しい経済のあり方を目指して中国本来の国力を取り戻そうとした。

原始的な土法炉による製鋼では良質な鉄はつくれず、他の産業が犠牲になったことで深刻な食糧不足に陥り、餓死者が続出した。

しかし毛沢東はなんとかしてもう一度国家主席になろうと考え、軍の力を借りてクーデターを企てる。劉少奇政権を倒そうとする毛沢東のこの動きが文化大革命につながっていく。

この一連の動きは中国を繁栄に導くための覇権争いにも見えるが、結果的には同じ社会主義思想を持つ者同士の権力闘争で

左：天安門広場で『毛沢東語録』を掲げる紅衛兵（1967年）
右：紅衛兵の声に応じる毛沢東（1966年）

しかなかった。

毛沢東は、劉少奇を資本主義への道を進む悪者と定義して徹底的に敵対した。腹心だった林彪《りんぴょう》や毛沢東の妻・江青らによる「四人組」や、全国の学生らで結成した「紅衛兵」などを使って劉少奇らを暴力的手段で弾圧し、自分の理想の実現に向かっていったのである。

これらの流れのなかで毛沢東の革命は広く注目されることになり、中国だけでなく、全世界に社会主義の動きが広まるきっかけにもなった。

革命の終焉を加速させる

しかし、やがて毛沢東の露骨な権力志向があらわになり、紅衛兵たちの動きも制御不能になると毛沢東の存在感は弱まり、文化大革命に対して国民が疑問を抱き始めた。

そして1976年は、中国にとって重要な分岐点ともいえる年となるのである。

この年の1月に毛沢東の理解者だった周恩来が死去し、続いて7月には毛沢東と合流して紅軍第4軍をつくった軍人の朱徳総司令が死去した。その直後に起こったのが唐山地震だったのだ。

革命が挫折しようとする混乱のなかでは復興事業も進まず、海外からの支援も拒絶した。そんな状況で9月、ついに**毛沢東が死去**した。さらに10月には、恐怖政治で恐れられた四人組が逮捕されてしまう。ここに文化大革命は、完全な終焉を迎えたのだ。

10月24日、天安門広場で「四人組打倒100万人慶祝大会」が開かれ、天安門の上では、文化大革命の終了を宣言した華国鋒主席が民衆に手を振った。そして、これ以降の中国は「経済第一主義」のもとに新たな国づくりを始めたのだ。

唐山で起こった大地震は、中国という国の進む道を変えたといえるだろう。

歴史の流れ

権力闘争中に唐山地震が発生する

▼

毛沢東が革命を押し進める

▼

文化大革命が失敗に終わる

社会的弱者を襲った ハリケーン・カトリーナ

水没したジャズの街

ジャズが生まれた街として知られるアメリカ南部ニューオーリンズの様相が一変した——。ほとんどの建物は水没し、そこが街であることもわからないほどだ。その映像をニュースで見て驚愕した人も多いだろう。

アメリカ史上最悪の自然災害のひとつとなったハリケーン・カトリーナは、死者1500人を出し、さらに経済的損失は750億ドル（約8兆円）以上にもおよび、アメリカの歴史に自然災害による不幸の爪痕を残した。

しかし、それだけではない。じつは以前にもたびたびハリケーンに襲われていながら、その経験と教訓を生かせなかったという意味で、「失敗学」の事例のひとつに数えられる災害になった

水びたしになったニューオーリンズ（写真提供：AFP＝時事）

のだ。

ハリケーン・カトリーナが発生したのは、２００５年８月25日のことだ。３日後の28日には「カテゴリー５」に分類されていたが、これは風速70メートル以上になる危険があることを示す。

その後、やや勢力を弱めたが、依然として強力なハリケーンとしてルイジアナ州に上陸し、大雨と高潮をもたらした。そして、またたく間に**ニューオーリンズの街の80％を水没させ**、多くの人命を奪ったのである。

この街には歴史的に価値のある建物が多かったので、人命以外の損失も計り知れない。

それにしてもなぜ、そんな事態になったのだろうか。

社会的な弱者を襲ったハリケーン

ニューオーリンズは別名「スープ皿」と呼ばれてい

る。つまり、海面よりも低い土地に広がる街なのだ。しかも、堤防もきちんと造られていないので、大雨が降れば雨水は溜まる一方だ。高潮に襲われたらひとたまりもない。

ニューオーリンズには貧困層の黒人が多く住んでいる。住宅のほとんどは簡単なつくりで壊れやすい。さらに、車を持つ世帯が少なく、多くの人々は急いで逃げることができなかった。

それに加えて政府からの救助作業が遅れて被害が拡大する中で、暴動や盗難が頻発して治安が悪化した。ハリケーンは、アメリカ社会の弱点ともいうべき場所を襲ったのである。

つまり、大きな貧富の差がひそむ**「格差社会」の問題が被害を甚大にした**のだ。

生かされなかったシミュレーション

アメリカを大きなハリケーンが襲ったのは初めてではない。たとえば、1900年には死者6000人以上を出したガルベストン・ハリケーンが、1969年には死者約260人を出したハリケーン・カミーユ、1992年にアメリカ史上2位の被害総額を出したハリケーン・アンドリューなどが記録に残されている。

これらを考えれば、ハリケーンに対する防災体制ができていてもおかしくはない。過去の経験を生かして、二度と同じ悲劇が繰り返されないような体制づくりがなされるべきなのだが、アメ

水没したニューオーリンズの空撮

リカではそれができていなかったのだ。

ニューオーリンズにも、前年の２００４年に大型ハリケーンが襲来している。その際に行政側は、同じような災害に襲われた場合にはどう対処すればいいかのシミュレーションを行っていた。

ミシシッピ川とポンチャートレイン湖にはさまれた同市は、大型ハリケーンに襲われたら大水害から逃れることができないのは明白だった。

シミュレーションでは、街全体にすぐに水が押し寄せて水没し、数十万人が被災すると考えられた。避難場所や避難手段は少なく、被害は甚大になると想定されたため、誰もが警戒心だけは持っていたのだ。

ところが、大災害が2年続けて起こることを予想した人はいなかった。ハリケーン・カトリーナが接近したとき、人々は**「まさかそこまでひどい事態になるわけがない」**と楽観していたのだ。

避難所に入るための住民の列。結局全員は入りきれず、他の避難所に振り分けられた。

その証拠に多くの市民は、ハリケーンが近づいても野球観戦やジャズを楽しんでいたという。その大半は、逃げる手段を持たない貧困層と病人だった。

そして、悲劇が起こったのである。「まさか」と思われた事態が起こったのだ。

遅れた避難命令

ポンチャートレイン湖は予想以上に増水し、運河が決壊した。そのことが街の大規模な水没につながった。堤防工事も遅れており、未完成だった。

行政の対応もすべてが後手に回った。カトリーナの情報は早い時期から共有されていたにもかかわらず、連邦政府、州、市、あるいは企業も含めて「きっと大丈夫だろう」という根拠のない楽観論が広がり、正しい対策がとれず、連携もなかった。

とくに、避難が困難な高齢者や貧困層の住民をどう守るかについて事前の協議が一切なく、いざというときになっても何の対応もできなかった。さらには上陸が予想されてから50時間以上の猶予があったにもかかわらず、事態を甘く見ていた行政が避難命令を出したのは上陸の19時間前だった。そのことが被害拡大の決定的な理由になった。

過去に類例があったにもかかわらず、ハリケーン・カトリーナは大きな災害となった。

最終的には、ルイジアナ州の住民の約１００万人がほかの州へ避難している。そして10年後の時点でも、28万人の人々が自分が住んでいた場所に帰れない状態だった。

このハリケーン・カトリーナの被害は、アメリカではその後、**「失敗学」の例**として記憶され、二度と同じ過《あやま》ちを繰り返さないという教訓として残っている。

歴史の流れ

何度となくハリケーンがアメリカを襲う

▼

カトリーナがニューオーリンズに襲いかかり深刻な被害が出る

▼

失敗学の例として記憶される災害になる

地球の生物種の4分の3を死滅させる力を持つ
隕《いん》石《せき》の落下

人的被害をもたらした巨大隕石

地球には毎日、宇宙からたくさんの隕石が落ちてくる。しかし、その大部分は大気圏に突入してすぐに燃え尽きてしまい、地表まで届くものはほとんどない。

といっても、まったくないわけではない。推定では、1年間で約40個の隕石が地表まで到達する。ただし、その大部分は、人間が住んでいない場所に落下しているので、研究者などごく限られた人にしか知られていないだけである。

しかし2013年、**隕石の落下が大きな人的被害を出す**という出来事が起こった。

この年の2月15日、ロシアの南西部、ウラル山脈の東麓《とうろく》にあるチェリャビンスクに落下した隕石が、まさにそれである。近年の隕石の中ではずば抜けて大きく、直径は推定約17メートルあり、

チェリャビンスクに飛来した隕石の軌跡。大気中の水蒸気等に反応して雲が発生している。（©Uragan. TT/CC BY-SA 3.0）

地表の人々や建物に大きな被害をもたらす災害を引き起こしたのだ。

原爆以上のエネルギー

隕石は大気圏に突入したあと、チェリャビンスク上空約20キロメートルで複数の破片に分裂し、その一部が地表まで落下した。

偶然に撮影された映像が世界中で報道されたが、それは見た目には神秘的な現象だった。しかし、実際には推定でＴＮＴ火薬約５００キロトンに匹敵するエネルギーが放出され、地上に恐ろしいほどの衝撃波を引き起こしたのだ。広島型原爆がＴＮＴ火薬16キロトン分に相当することを考えると、隕石の威力のすさまじさがわかるだろう。

この落下により、４４７４棟の建物が損壊し、

チェリャビンスクの劇場では窓ガラスが割れるなどの被害が出た。（@ Nikita Plekhanov/CC BY-SA 3.0）

１４９１人が重軽傷を負ったという。

隕石が大気圏に突入するときの速度は、時速６万８４００キロメートルにも達したと推定される。この１００年来の隕石落下の中で、もっとも大きな衝撃だったと考えられる。

また、この隕石が発した光は太陽の30倍もの明るさに達し、その明るさによって火傷《やけど》を負った人もいたという。

隕石による衝撃は、隕石の落下地点の周囲１２７キロメートルにも広がり、中央ロシア一帯に破片が降り注ぎ、チェバルクリ湖では厚さ70センチの氷に直径８メートル大の穴があいた。

ちなみに、この湖からは６００キログラムにもおよぶ隕石の破片が発見されている。

小惑星のかけらが隕石になる

この隕石の出自については、じつはかなり詳しいところまでわかっている。

地球と火星との間には無数の小惑星が存在する。そして時には、その中から地球の引力に引かれて接近するものもある。一般的に隕石といわれるものの多くは、この小惑星由来のものである。チェリャビンスクの隕石もそのひとつだ。

約120万年前に、この小惑星に何かが衝突していくつかの破片が剥がれ、そのうちのひとつが120万年かかって地球に飛来したと考えられている。

このような現象はけっして珍しいことではない。同じような小惑星の破片は、おそらく数千万個単位で宇宙空間に漂っており、それらのひとつが隕石となって地表に落ちてくる可能性はこれからも存在する。

チェリャビンスクの隕石落下では、建物が破壊されたり窓ガラスが割れたりする被害が出たが、もっと大きな隕石が落下すれば、もちろん被害はもっと大きくなる。ひとつの大都市を完全に壊滅させるほどの衝撃を与えることもある。

隕石のかけらのひとつ。左の立方体は直径1平方cm。（@ Svend BuhlCC BY-SA 3.0）

シベリアの森林を破壊した約110年前の隕石

20世紀の隕石落下で有名なのは、1908年の**ツングースカ**

ツングースか隕石による被害。爆風のため木々がそろって一方向に倒れている。(1929年撮影)

大爆発である。

このときは、チェリャビンスク隕石をはるかにしのぐ1万~5万キロトンの爆風が発生し、シベリアの森林が数百キロにわたってなぎ倒された。これはTNT火薬5メガトンの爆破に相当するが、広島型原爆のエネルギーは16キロトンだから、いかに大規模だったかがわかる。

幸いなことに、ツングースカ隕石が落下した土地には人は住んでいなかったので人的被害はなかった。

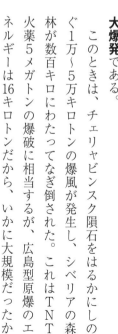

隕石は地球の歴史を変える

しかし過去には、ひとつの隕石の落下が地球の歴史を変えてしまったこともある。それは6600万年前に起こった。

メキシコの東部に、ひとつの山ほどもある巨大な隕石が時速約6万4000キロメートルの速度で落下し、直径約180キロメートルの巨大なクレーターができた。この衝突は、TNT火薬100兆トンにも匹敵するエネルギー規模だったといわれる。その熱と衝撃は、あたりにあったあらゆるものを焼き尽くし消滅させた。さらに、約5万立方キロメートル以上の物質が大気中に飛び散り、地球全体を覆った。それが太陽光線を遮って地表の温度は急激に下がったのである。

この気候の急変により、**地上の全生物種のうちの4分の3が死滅した**。恐竜が絶命した原因もこの隕石の落下だったというのが、近年の定説になっている。

つまり、ひとつの隕石の落下が地球の生命の進化を変化させたのである。もしもこの隕石が落下しなければ、今でも恐竜が歩き回り、人類は誕生していなかったかもしれない。たった一度の隕石落下でもこれほどの脅威となるのだ。

歴史の流れ

6600万年前の隕石が地球の生物種の多くを死滅させる

▼

隕石落下による人的被害もしばしば出る

▼

今後も隕石は地球に降りそそぐ

ジャン=レオン・ジェローム画『指し降ろされた親指』

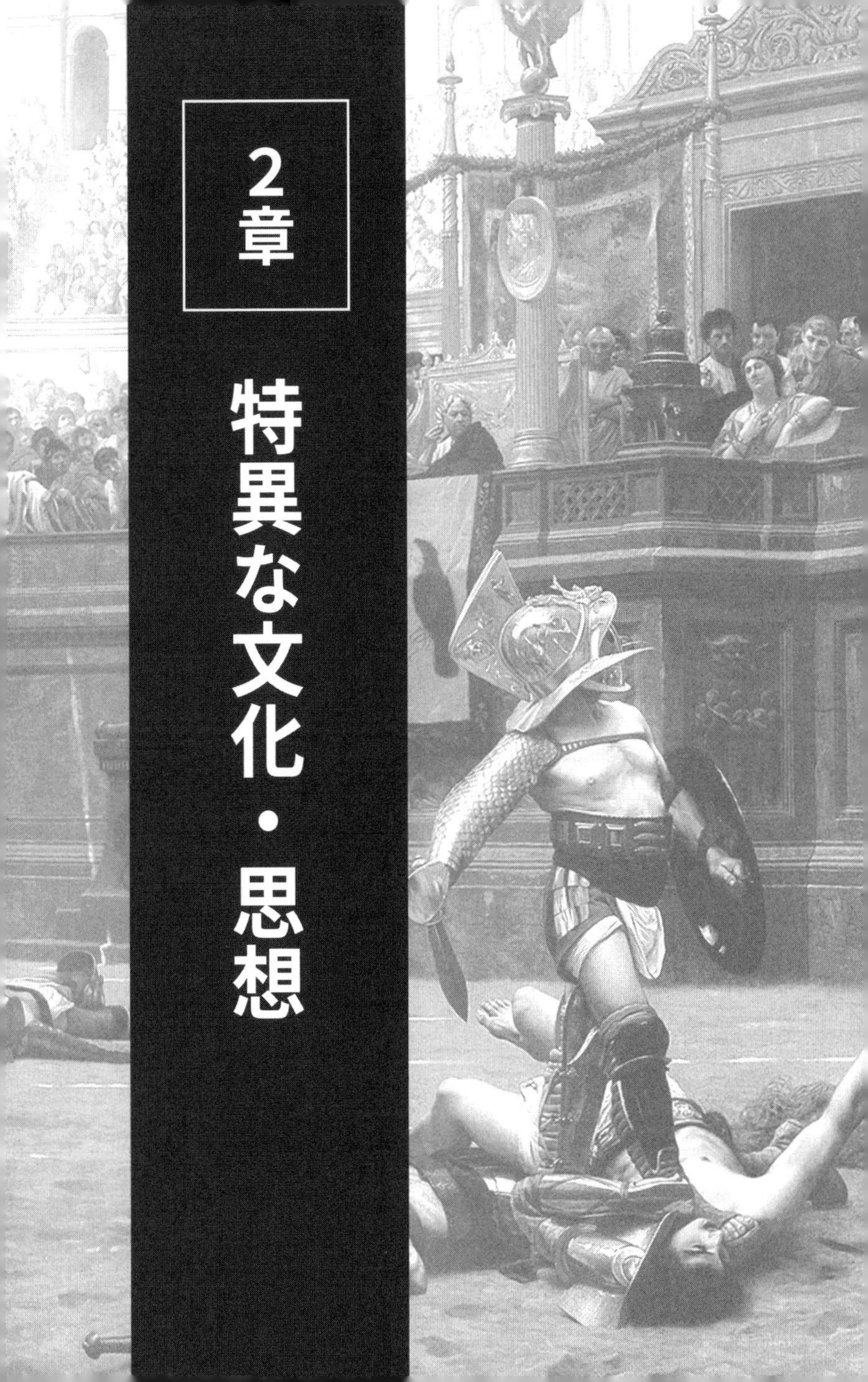

2章

特異な文化・思想

古代から世界中で行われてきた
いけにえ

池の底から発見された大量の人骨

中米のユカタン半島を訪れる観光客にとって、マヤ文明の遺構に触れることは何よりの楽しみだ。紀元前2000年頃からこの地に栄えた古代文明は、栄《えい》枯《こ》盛《せい》衰《すい》を繰り返して17世紀頃まで脈々と生き続けてきた。

なかでもとくに注目されるのは、広大な古代都市チチェン・イツァである。カリブ海を囲むユカタン半島の都市ユカタンから車で約3時間のところに、西暦400年に始まる旧チチェン時代と、西暦900年以降の新チチェン時代の両方の遺跡が今も残されているのだ。

ここに行けば、エル・カスティージョと呼ばれるピラミッドや、天体観測用の高い塔のあるカラコルと呼ばれる建造物、競技場の跡などを見ることができる。

これだけ聞くと、チチェン・イツァは豊かな人間性に彩られた優れた都市に思える。しかし、セノーテと呼ばれる泉を見ればだれもが戦慄するはずだ。直径60メートル、水深80メートルのその池の底から無数の人骨が発見されているのだ。

この地は、常に水不足に悩まされていた。それを解消するために、人々はこの池にいけにえを捧げたのである。いけにえはふたつのチームが競技場でゲームをし、勝った方のリーダーが選ばれた。

当時、人々の生活を守るための**いけにえになることは大きな名誉**だったため、常に優れたものが選ばれなければならない。だから勝者が選ばれたのだ。

勝った方のリーダーは身動きができないように押さえつけられ、生きたまま胸を引き裂かれて心臓を取り出される。その血は神の像に塗られ、

セノーテ（©Irving Huertas/CC BY-SA 3.0）

遺体は池に投げ込まれた。この地に暮らす人たちは、いけにえを捧げることによって自分たちの生活が守られると信じて疑わなかったのだ。

このように神にいけにえを捧げる風習があったのは、なにもチチェン・イツァだけではない。古代より世界のいろいろなところで行われてきたのである。

いけにえの心臓を捧げ置くためのチャクモール像
(©Adriel A. Macedo Arroyo/CC BY-SA 4.0)

世界で行われていた儀式

2019年、ペルーの北西部にある遺跡調査の途中で、140人近い子供と200頭のラクダ科の動物がいけにえにされたと思われる痕跡が発見された。

これほど大量のいけにえが一度に捧げられた例は珍しく、世界的に注目された。700平方メートルの範囲に埋められていた子供たちは、DNA分析により5歳から14歳くらいだということが判明している。

この地には、9～15世紀にかけて首都チャン・チャンを中心にチムー王国が栄えていた。子供

チャン・チャンの遺跡（©Martin St-Amant - Wikipedia - CC-BY-SA-3.0）

たちのいけにえはそのチムー文化の影響下で行われたと推測されている。チムー文化に限らず、古代社会では子供は「神と人が混じりあった存在」と考えられていたのだ。

地層調査によると、この地には大規模な豪雨や洪水の痕跡が見つかっている。そのため、子供たちは神の怒りを鎮《しず》めるために神に捧げられたのではないかと考えられる。その証拠に子供たちの肋骨は破壊されており、やはり心臓を取り出したのではないかとも思われる。

現代人の私たちにとっては恐ろしく聞こえる話だが、当時の人々にしてみれば、子供の命を犠牲にしてでも守らなければならないものがあったのだろう。

ほかにも、たとえば古代ローマでは、戦争でローマ軍が壊滅的な状態になったときに数人の奴隷が殺されて人身御供《ひとみごくう》として神に捧げられた。

古代ギリシャでも一般市民の罪を浮浪者になすりつけ、贖《しょく》罪《ざい》として崖から突き落とすという習慣があったといわれている。

当然ながら、当時は現代のような通信網が発達していない

2019年のガディマイ・メラの様子（写真提供：AFP＝時事）

ので、ほかの大陸で行われていた儀式のことなど知るはずもなかったが、人々は世界中で似たようなことを行っていたのだ。

女神に捧げられ続けた数十万頭の動物

これらのいけにえや人身御供が、すべて過去のものとは限らない。ネパールでは、じつは今もなお行われている儀式もある。

インドとの国境に近い場所にあるガディマイ寺院で行われる**ガディマイ・メラ**という祭りがそれだ。5年に一度行われる祭りで、すでに200年以上も続いている。インドやネパールから毎回250万人もの信者が訪れるというからかなり盛大だ。

ガディマイとはヒンズー教の女神で、いけにえとしてこの神に動物を捧げれば、繁栄がもたらされると信じられているのだ。

捧げられる動物は1頭や2頭ではない。2014年に行われたこの祭りに関する報道では、水牛、ヤギ、ハトなど約20万頭が神に捧げられたと伝えられた。しかも、この数字は隣国インドが動物の輸出を規制したために望み通りの動物が集まらなかった結果であって、その前の開催では約30万頭もが犠牲になっているのだ。

インドからの動物の輸出が規制された背景には、動物愛護の運動家たちによる批難と圧力があった。

いくら儀式のためとはいえ、現代の一般常識で考えればこの数字は常識を逸している。しかし、神や言い伝えを信じている人々にとっては、動物たちは尊い犠牲であり、崇高なことなのである。

ちなみに、規模は不明ながら、2019年もガディマイ・メラは行われたという。


多くの古代文明でいけにえの儀式が行われる

▼

遺跡発掘により過去の実例が数多く見つかる

▼

現代でも動物をいけにえにする祭りは行われている

100日間続いたショー
コロッセオの「死のサーカス」

収容人数5万人の大劇場

歴史的な建造物が街中にあふれるイタリアのローマにあって、ひときわ存在感を放つのがコロッセオである。楕円形の劇場は下の階からドーリア式、イオニア式、コリント式と異なる様式が重なるアーチが特徴で、長径188メートル、短径156メートル、高さ48・5メートル、収容人数5万人というケタ外れの規模を誇る。

この巨大な建造物は、ローマからおよそ20キロメートルも離れた場所から大量の火山性石灰岩を運び込み、10年の歳月をかけて建てられた。

劇場とはいっても、ここで行われたのは血の匂いが漂う**凄惨な催《もよお》し物**である。そして市民はそれに熱狂した。なぜ、そんなことが行われていたのかというと、そこには当時の時代背景が大き

死闘の舞台となったコロッセオ

く関係している。

皇帝が与えた「パンとサーカス」

コロッセオが完成したのは西暦80年だった。建設を推し進めたのは、ローマ帝国の皇帝ウェスパシアヌスだ。

ローマ帝国といえば9世紀以上にもわたって栄華を誇った大帝国だが、この頃はちょうど共和政から帝政に移行したあたりで、市民は莫大な徴税と徴兵によって生活苦に陥る者が少なくなかった。

ローマ市内には浮浪者があふれるようになり、人々は不満と不安を募らせる。

そこで国が用意したのが「パンとサーカス」である。

「市民はパンとサーカスを与えられ、政治的批判を封じられている」といった内容で世相を揶揄したのは古代ローマの詩人ユウェナリスだが、ここでのパンは食糧を、サー

海戦の様子。水道整備などで莫大な費用がかかったが、人々には人気があった。（チェカ画）

カスは娯楽を意味する。

政府はこれらを無償で与えることによって、市民の間にうずまく不満をかわそうと目論《もくろ》んだのだ。

人々を熱狂させた死の見世物

コロッセオでは、娯楽として血なまぐさいショーの数々が行われた。

当時のローマでは、大勢いた戦争捕虜が奴隷として扱われていた。彼らは剣闘士に仕立て上げられ、剣闘士同士、あるいは猛獣相手に、どちらか一方が死ぬまで闘い続けさせられた。

また、コロッセオのアリーナに大量の水を張って模擬海戦が再現されたこともあった。

そうしていつしか闘いは見世物の様相を呈し、〝対戦カード〟も過激化していく。

猛獣と戦う剣闘士のフレスコ画

もっとも過激だったのは、捕獲が難しいライオンやクロコダイルといった猛獣をわざわざ入手して、死刑囚の公開処刑を行うというものであった。

アリーナにはほとんどの人が初めて見るであろう猛獣が入れられ、そこへ死刑が決まっている犯罪者が放り込まれる。逃げきれず猛獣に襲われる死刑囚を見て観客席は熱狂する。

一連の催し物は、皇帝を含むローマの富豪たちが巨額の私財を投じ、**コロッセオの完成から100日間続けて行われた**。もちろん観覧は無料である。

国が与えたサーカスは、人の平常心や倫理観を奪ってしまうほど刺激的だったのだ。

暴君ネロとのつながり

こうした見世物が行われていたことは、ローマ帝国

黄金宮殿の外観(上)と内部(下)。104年の火災の後、他の施設になっていった。(上:©Rabax63/Davide Mauro/CC BY-SA 4.0, 下:©Davide Mauro/CC BY-SA 4.0)

の黒歴史ともいえるが、じつはコロッセオには、同じく帝国の暗部として語られることが多い**皇帝ネロ**との深いつながりがある。

ネロといえば、妻や実の母を殺害するなど残虐非道な暴君として有名だが、彼が皇帝の座にあった西暦64年にローマの3分の2を焼き尽くす大火があった。

真偽は今も不明だが、その大火災は自身の夢だった**黄金宮殿**を建てるためにネロが手下に命じた放火だったという噂がある。

そして、市中に流れたその風評を封じるために、罪のない大勢のキリスト教徒が放火犯として火あぶりにされ、野獣によって八つ裂きにされた。

コロッセオは、その黄金宮殿があった場所の一部を利用して建築されたのである。乱行ざんまいだった暴君の屋敷跡で、同じような光景が繰り広げられたことは奇妙な偶然といえる。

ネロの死後、帝国内では混乱が続いたが、それを収めたのがコロッセオを建設したウェスパシアヌス帝だった。彼は破綻していた財政を立て直すため徹底した緊縮財政を続けながらも、一方で壮麗なコロッセオを建設し、市民に「パンとサーカス」を与えて懐柔した。そしてその後に、「五賢帝時代」と呼ばれる、人類史上もっとも幸福な時代が築かれることになるのだ。

コロッセオでの残酷な見世物は、5世紀に皇帝ホノリウスによって禁じられるまで続けられた。

現在では貴重な世界遺産としてローマの象徴になっているが、背景を知る地元の人の中には負の遺産ととらえ、コロッセオそのものを忌み嫌う人もいるという。

歴史の流れ

ネロの邸宅跡にコロッセオが建設される

▼

ローマ市民が死のショーに熱狂する

▼

ローマ帝国に平和な時代が訪れる

聖地奪還の過程で行われた虐殺

十字軍

聖地エルサレムを奪還するための戦い

長い歴史の中で宗教がからんだ戦争はいくつかあるが、その代表格といえるのが十字軍だろう。十字軍とはキリスト教の象徴である十字を掲げ、11世紀から13世紀にかけてイスラム勢力に侵攻した軍隊のことである。

そのきっかけとなったのは、現在のイスラエルが有する都市エルサレムだ。

エルサレムは古くから、キリスト教、ユダヤ教、イスラム教という三大宗教の聖地だった。7世紀からはイスラムの支配にありながらも互いにうまく共存していたが、11世紀にトルコのセルジューク朝が占領してからは様子が一変した。聖地巡礼に訪れるキリスト教徒が迫害されるようになったのだ。

押し寄せる十字軍（ドレ画）

また、着々とイスラムの領土を拡大するセルジューク朝に脅威を感じたビザンツ帝国の皇帝が、ローマ教皇ウルバヌス2世に救援を求めたのもこの頃だった。これらの事態を聞きつけたローマ教皇はエルサレム奪還を目指し、十字軍の遠征を決めたのである。

だが、教皇の思惑は別のところにもあった。当時のキリスト教社会には、聖職者の堕落や不平等な土地の分配といった不安要素があり、若者を中心に反発する声が巻き起こっていた。異教徒からの聖地奪還は、その**不満の矛先をそらす**には十分すぎるほどの大義名分だったのである。

遠征先での大量殺戮

第１回の十字軍遠征は１０９６年に行われている。教皇の呼びかけに応じて、１万５０００の騎士を含む約13万人がエルサレムへと旅立った。

その集団は、皇帝の肝煎《きもい》りの正規

十字軍と、おもに民衆で構成される民衆十字軍に二分されていた。ただし後者は統制力がなく、さまざまなグループに分裂したのちに早々に壊滅する。

正規十字軍も規律正しい行軍をしたとは言い難かった。目的地である聖地までの道中、彼らは行く先々でイスラム勢力と衝突した。というのも、十字軍に参加すれば2年間はどんな罪に対する償いも免除される、また戦いで命を落とせば殉教と認められるなど、**信仰心を煽る特典**があったからである。

その結果、参加者たちは過激な行動に走った。戦いの過程で物資に困窮すれば当たり前のように略奪する。また、女性への暴行が行われ、子供も容赦なく手にかけた。

また、その攻撃性はイスラム以外の異教徒にも向けられ、この時期、ユダヤ教徒が十字軍によって大量殺戮されている。

1回目の遠征は成功する

正規軍の一部は地中海の東部へと侵攻し、現在のトルコに位置するエデッサに攻め入った。歪んだ正義感に取り憑かれた十字軍は、討ち取った敵の頭部を投石機で投げ込むなどして恐怖心を煽り、その存在を知らしめる。

エルサレムを奪還した十字軍（シニョール画）

一方、正規軍の本体は南へ向かい、地中海沿岸のアンティオキアを包囲する。

だが、ここで支援物資が途絶え、部隊は疫病と飢餓にあえいだ。すると、一部が武装化してアンティオキアから少し離れた町を襲い、罪もない住民を次々と虐殺した。さらには、殺した者たちの肉を食うという食人までもが行われていたことがわかっている。

このような行動に出るほど、十字軍の士気は想定外の方向へ高まっていた。

そして、第1回の十字軍遠征ではこのエデッサとアンティオキアに加え、トリポリ、エルサレムという4つの**十字軍国家**が誕生した。

特に1099年に誕生したエルサレム王国の誕生は、悲願の聖地奪還を遂げた末のことで、ここに十字軍の目的は果たされたのである。

城壁に守られた港湾都市コンスタンチノープルを攻撃する第４回十字軍（オベール画）

２回目以降はすべて失敗

だが、奪われた相手がこの仕打ちに黙っているわけもなく、今度はイスラム側がエルサレム奪回の聖戦に立ち上がった。

ここからキリスト教とイスラム教は２００年にわたって対立し、その間、十字軍の遠征は７回にもおよんだ。

ただし、十字軍が勝利したのは初回のみで、あとはことごとく失敗に終わっている。

というのも、結成当初は宗教的な情熱によって兵も奮起したが、回を重ねるごとに大義は薄れていったからだ。政治的野心を抱く教皇、領土拡大を狙う諸侯、利権を奪い合う商人など、**信仰心そっちのけの内部対立**が起こるようになっては、結束力の高いイスラム勢力に太刀打ちできるはずもない。

　1202年に始まった第4回の遠征では、ついに教皇の命令を無視するまでになった。その挙句、海上輸送を担ったヴェネツィア商人と手を組み、ヴェネツィアの商敵だったコンスタンチノープルを占領し、勝手に「ラテン帝国」を建国したりもしている。聖なる戦いを掲げつつも、戦場に駆り出される当の兵たちにはさまざまな思惑が交錯し、最後まで一枚岩になれなかったというわけだ。

　十字軍が完全に終結したのは1291年である。7回目のチュニス攻撃に失敗した末のことだった。それまで絶対的だった教皇の権威は大きく失墜し、戦いに参加した諸侯らは長きにわたる従軍の疲弊で経済的なダメージを負い没落した。

　これにより、西ヨーロッパでは国王の力が強まり、また、遠征の主要ルートだったイタリアを中心に商業が発展し、イスラムとの交易もさかんになり、都市の発達が進んでいくのである。

歴史の流れ

聖地エルサレムの奪還を目的に十字軍が結成される

▼

初回は成功したがその後はすべて失敗

▼

ローマ教皇の権威が失墜し国王の力が強まる

魔女狩り

標的となった人を排除・処刑する

社会不安が蔓延した時代

昨今ではSNSなどによるネットリンチがしばしば問題になるが、中世のヨーロッパでは現実社会で私刑ともいえる迫害が行われていた。それが「魔女狩り」である。

魔女狩りとは、魔女の疑いがある者が裁判にかけられ、魔女と確定したら処刑されるという社会現象だ。魔女というだけあってその大半は女性だが、かといって男性が例外だったわけではない。とにかく「あいつは魔女だ」「悪魔の手下だ」と一度でも噂が立ってしまえば、老若男女問わず、みな標的にされてしまうのだ。

もともとキリスト教界隈《かいわい》では、古くから呪術で悪魔と交流する魔女の存在が信じられていたが、それが大きな迫害行為に発展した根底には、11世紀頃から激化していた**異端者への弾圧**がある。

異端者とは、正統なキリスト教以外を信仰するキリスト教徒を指したものだ。彼らは異教徒以上に危険視され、厳しい取り締まりの対象とされている。そうした迫害の土壌に加え、この頃のヨーロッパは異常気象による深刻な飢饉やペストの流行にも悩まされていた。

つまり、積み重なった**社会不安に対する民衆のストレス**が、魔女狩りという形で噴出したのである。

火あぶりにされる「魔女」(1585年の雑誌より)

川に投げて浮かべば魔女？

時代は1480年頃のことである。

最初は誰かを魔女だと告発するところから始まった。たとえば、畑の作物が台無しになる嵐が起きれば、日頃から村になじまない者のしわざだと魔女認定される。また、一人暮らしの未亡人も家庭の平和を乱す者としてターゲットにされた。

魔女かどうかの取り調べや判定方法も常軌を逸していた。取り調べは拷問による自白が主流だっ

魔女の疑いをかけられた人物を水につける様子

た。告発された者を川に投げ込んで、沈めば無罪、浮かべば有罪とする昔ながらの神明裁判なども行われたが、そのほとんどが溺死した。さらに魔女はほうきで飛ぶことから、身長から１００を引いた数よりも体重が軽ければ魔女とみなされるという判定方法も存在した。

こうした魔女裁判はおもに15〜18世紀にわたって、スイス、ドイツ、フランスなどヨーロッパ全域で広がりをみせた。魔女と判決された場合の処刑は大半が火あぶりだったが、イギリスは絞首刑だったといわれている。

最盛期には、ただ気に入らないというだけで密告、処刑されるケースも多発した。自分がターゲットになる前に誰かをターゲットにする、現代のいじめにも似た集団心理があったのだ。

魔女狩りの手引書も存在した

このような迫害行為を正当化させたもののひとつに、『**魔女に与える鉄槌**』という本がある。１４８６年に書かれたもので、魔女が使う術、魔女の諸行為、魔女裁判のやり方などが詳細に綴られており、魔女狩りの手引書として広く読まれた。犠牲者の大半が女性、そして未亡人だったのもこの本の影響である。

しかも、この本を書いた異端審問官のクラーメルは、別件で取りつけた教皇のお墨つきを序文に利用し、この本があたかも教皇公認のような印象を与えたのだ。

アメリカで20人の「魔女」が命を落とす

やがて流行はヨーロッパからアメリカへも飛び火した。なかでも、1692年にマサチューセッツ州のセイラム村で起こった**「セイラム魔女裁判」**は有名だ。

きっかけはある家の姉妹が急に暴れ出し、奇声を発するなどした原因不明の発作で、その異常行動はなぜか村の人々に連鎖していった。

やがて、その中の一人が、日本でいう「こっくりさん」のような降霊の儀を行っていたことが判明し

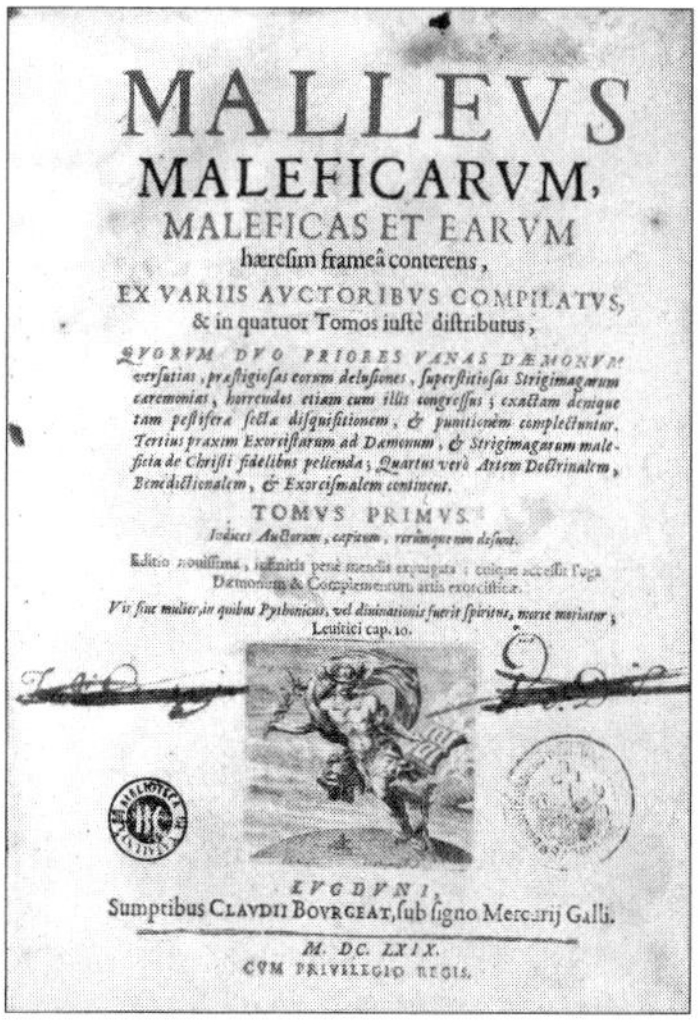

MALLEVS
MALEFICARVM,
MALEFICAS ET EARVM
hæresim frameâ conterens,
EX VARIIS AVCTORIBVS COMPILATVS,
& in quatuor Tomos iustè distributus,
QVORVM DVO PRIORES VANAS DÆMONVM versutias, præstigiosas eorum delusiones, superstitiosas Strigimagarum cæremonias, horrendos etiam cum illis congressus; exactam denique tam pestiferæ sectæ disquisitionem, & punitionem complectuntur. Tertius praxim Exorcistarum ad Dæmonum, & Strigimagarum maleficia de Christi fidelibus pellenda; Quartus verò Artem Doctrinalem, Benedictionalem, & Exorcismalem continent.
TOMVS PRIMVS.
Indices Auctorum, capitum, rerumque non desunt.
Editio nouissima, [illegible]
Dæmonum & [illegible] exorcisticæ.
Vir siue mulier, in quibus Pythonicus, vel diuinationis fuerit spiritus, morte moriatur; Leuitici cap. 20.
LVGDVNI,
Sumptibus CLAVDII BOVRGEAT, sub signo Mercurij Galli.
M. DC. LXIX.
CVM PRIVILEGIO REGIS.

『魔女に与える鉄槌』1520年版の表紙

パプアニューギニアで魔女と認定された女性とその他のゴミが焼かれる様子（2013年）（写真提供：AFP＝時事/AFP PHOTO /POST-COURIER/）

たため、この異常行動が悪魔のしわざだということになった。

そこから村内の告発が相次ぎ、最終的に200人が魔女として告発され、20人が処刑・拷問死したのである。

だが18世紀になると、世界的に魔女狩りに対する非難の声が高まりブームは下火になった。科学や医学の分野が発達するにつれ、魔女のような霊的な存在のリアリティが薄まったことも関係があるかもしれない。

現代にも残る魔女狩り

ところが、現代でも魔女狩りが行われている地域はある。

たとえば、多数の部族で構成されるパプアニューギニアでは、今でも非科学的なものが信じられており、とりわけ**黒魔術**は生活に深く入り込んでいる。不慮の事故や心臓発作など、原因がわかりづらい死は黒魔術によるものだと結論づけられることも珍しくなく、そのせいでいわれのない容疑をかけられた者が処刑されるという事件が、この数年の間に何件も起こっているのだ。

突然死した子殺しの容疑をかけられた女性や、多数が死亡する交通事故で生き残った人などをリンチして火あぶりにする。それを止める者はおらず、政治家でさえみずからが黒魔術で報復されることを危惧して見て見ぬふりをする。

ほかにもインドやサウジアラビアなど、女性の地位が低い地域や、宗教における異端を受け入れない国には魔女狩りの風習が残っている。

中世に始まった魔女狩りの犠牲者数は数万とも数百万ともいわれ、正確な数字はわからないが、今も魔女狩りが行われている地域もあるのだ。

歴史の流れ

異端者への迫害やペストによる社会不安が起こる

▼

ヨーロッパを中心に魔女狩りが流行する

▼

現代でも一部の地域で行われ続けている

「劣った者」の排除に発展した

優生学

「良いタネ」を意味する名がついた学問

優生学とは、進化論で知られるダーウィンの従弟であるフランシス・ゴルトンが19世紀に提唱した考え方だ。優生学を表す「eugenics」はギリシャ語で「良いタネ」という意味である。ゴルトンは人間の性質には遺伝的要因が関係していることに着目し、そこに何らかの形で介入して性質を改良したり劣化を防いだりすることを学問として成立させ、また実践を試みようとした人物だ。

優生学においては**「優れている遺伝子を増やす」**と**「生存に適さない遺伝子を排除する」**の2通りの考え方があった。ゴルトンはネガティブな考え方の後者よりも、才能や環境を重視して前者、すなわち上流階級を増やすメリットに注目したのだ。だが、この理論はのちに優生思想を生み、

ナチスの教材の一部。「遺伝病患者は毎日5.5マルク分の拷問を国家に強いている。5.5マルクあれば家族は１日暮らせる」などと書いてある。

差別問題へと発展してしまう。

奇形児を崖から投げ落とす

優生思想は歓迎すべき命を保護し、そうでない命を排除するという考え方だ。

似たような思想は古代からすでに存在しており、たとえば古代ローマ人は奇形児や難病を抱えた赤ん坊を、崖から投げ落としていたという記録がある。

中世のヨーロッパやアジアでも、私生児や先天的な障害を持つ多くの子供たちが捨てられることは珍しくなく、いつの時代もこの思想は社会の暗部に根づいていた。

とくに20世紀初頭のアメリカは、黒人差別や移民問題を抱えていたため、白人の支配層がこの考え方に飛びつき、優生学にまつわる研究があちこちで始まった。

いくつかの州では命の選別を正当化する法律が決まり、大統領のルーズベルトでさえ優生学を支持し、カーネギーなどの名だたる財団がそれを支援した。

そして、このアメリカでの優生思想の高まりを手本にしたのがドイツだったのである。

安楽死施設に到着した障害者の照合を行う職員。胸元に「SS」(ナチス親衛隊)のマークがある。

ナチスが7万人の障害者を「安楽死」させる

ドイツの優生思想といえば、600万人のユダヤ人が犠牲になったホロコーストが真っ先に思い浮かぶが、じつはそれ以前にも大量虐殺が行われている。

第二次世界大戦が勃発した1939年、ナチスは優生思想に基づく障害者に対する安楽死計画**「T4作戦」**を開始した。

この作戦は、「治療不可能で生きるに値しない」障害者を「死によって苦しみから解放」し、「ドイツ民族の遺伝子を強化する」という名目のもと、組織的に行われた。まずは国内の精神障害者や知的障害者をリストアップし、「殺人バス」と呼ばれた灰色のバスに乗せる。バスは施設へと向かい、そこで彼らは裸にされ、一酸化炭素ガスによって殺害されたのだ。

作戦を遂行したのはヒトラー率いるナチス政権だが、その計画や障害者たちのリストアップを行ったのは精神科医たちで、実際に殺害を行ったのも現場の医師や看護師だった。医師らは研究のために遺体から脳の一部を取り出すこともしていた。

しかも、キリスト教徒たちの批判を受けたヒトラーが作戦の中止を言い渡したあとも、医師らは自発的に計画を続け、末期には障害者のみならず、ユダヤ人との結婚で生まれた子も手にかけていたという。T４作戦での犠牲者は1年半で7万人、作戦中止後も含めると、終戦まで成人・子供含め、20万人が虐殺されたという。

歴史の流れ

ゴルトンが優生学を提唱する

▼

アメリカで優生学が広まり命が「選別」される

▼

ナチスが優生思想に基づき障害者を虐殺する

ウクライナの5人に1人が餓死した
ソ連による「計画的飢餓」

スターリンの指導で行われた集団農業化

国連が中心となってまとめた年次報告書によれば、2019年の飢餓人口は1億3500万人で、過去4年間でもっとも多い。飢餓発生の原因としては、紛争や治安の悪化、気候変動による異常気象が挙げられている。

ただでさえ飢餓は悲惨なものだが、これが計画的に起こされたとしたら、人道にもとる行為として非難は免れない。しかし、それが**特定の民族に対して国家ぐるみで行われた疑惑**があるのだ。

1932年から翌年にかけて、当時ソ連の一部だったウクライナ共和国で記録的な飢餓が起きたことがある。農民を中心に数百万人が犠牲となるほどで、人口の5人に1人が餓死したといわれ、その多くはウクライナ人だった。

ウクライナの首都キエフに集められた収穫物（1930年）

当時のソ連はスターリンの指導の下で社会主義国家となり、世界の大国となるべく農業や工業の集団化を図っていた時期だった。

豊かな国土を持つ穀物生産地だったウクライナでも農業の集団化が行われ、その利益はソ連政府に吸い上げられるという仕組みができていた。

では、豊かな農地を持つウクライナで、なぜ大規模な飢饉が起きたのか。そこには**民族対立**に根差した深い理由がある。

飢餓は計画されていた？

ウクライナには、ユダヤ系の住民とウクライナ人の住民がいる。ユダヤ系住民たちはロシア帝政末期に民族的な迫害を受けていたが、ロシア革命によって帝政が滅びると、新政府の中枢を占めるようになった。

ウクライナの都市ハリコフの路上で行き倒れた人々（1933年）

そんなさなかの1932年に起きた大規模な飢饉は、スターリン政権の中枢で権力を握ったユダヤ人による計画的な報復ではないかとされているのだ。

ウクライナの農民たちは村に閉じ込められ、出ることが許されなかった。飢餓が発生しても、食料を求めて都市部に行くこともできずにただ飢えて死ぬのを待つだけだった。

あまりの飢えから家族や隣人の死体を食べていたという記録もあるほどで、この飢餓による死者の数はナチスによるホロコースト以上で、史上最悪の虐殺ともいわれている。

この**「ホロドモール」**と呼ばれる事件が広く知られるようになったのは2006年のウクライナ議会による「ジェノサイドの認定」を受けてのことだ。

ウクライナでは長年、飢餓がスターリン政権による計画的なものではないかという議論がされてきたのだが、国家として正式に「ウクライナ人に対するジェノサイド」を認定したことになる。

ウクライナ政府は、２００８年11月22日にホロドモールの飢饉犠牲者追悼行事を執り行った。さらに、ジェノサイドを否定することを禁止する法律も制定したのだ。

一方、加害者とされるロシアは、これを真っ向から否定する声明を出した。スターリンによる圧政はあったが、民族を限定したものではなく、ジェノサイドにはあたらないというのだ。

いわゆる歴史認識が対立するこの問題は、いまだ解決されていない。

長年、飢饉による大量の死者さえ認めていなかったロシア側が圧政の事実を認めたことは、問題解決への一歩となるかもしれないが、当のウクライナでも政権が変わると認識がぶれてしまう。ソ連が解体され、ロシアが過去の歴史資料の公開を始めたことで動きが見られたという向きもあるが、ジェノサイドの有無が国際的に確定するにはまだ時間がかかりそうだ。

歴史の流れ

ウクライナの農業の収益がソ連に吸い上げられる

▼

飢饉が起き数百万人のウクライナ人が餓死する

▼

歴史認識でウクライナとロシアが対立する

テロ組織と化した宗教団体

オウム真理教のテロ活動

3路線5列車の電車に撒《ま》かれたサリン

それは誰にとっても、いつもの朝のはずだった。しかし、１９９５年３月20日、東京都内のいくつかの駅を発車した電車の中は、やがて地獄と化した。

多くの乗客が目に刺激を感じ、息苦しくなり、次々と倒れ始めた。電車の中は異様な雰囲気に包まれ、電車が次の駅に停車すると、乗客たちは転がり出るように降り、そのうちの何人かはその場に倒れた。世界の犯罪史上類を見ない凶悪事件、**地下鉄サリン事件**である。

被害にあった３路線の５列車で13名の死者が出た。さらに負傷者は約６０００名にものぼり、現在も後遺症で苦しんでいる人が大勢いる。

当初は、サリンという薬物の名前などほとんどの人が知らなかった。しかし、この日を境にし

地下鉄サリン事件の被害者救助のため、地下鉄の駅前に出動した消防隊員や警察官（写真提供：時事）

て多くの人がサリンという薬物の名前を覚え、テロリズムの恐怖を心に刻んだのである。

殺傷能力のある毒ガスの製造は世界的に禁止されているため、事件は海外でも大きく報じられた。

この無差別テロは、オウム真理教という団体が起こしたものだったのだ。しかもこの集団は、サリン事件を起こすまでにも数々の凶悪事件を起こしてきた、反社会的な集団だったのだ。

いったい、オウム真理教とは何だったのだろうか。

麻原の私利私欲のための教団

ヨガの道場など、いくつかの前身の団体を経て「オウム真理教」の名になったのは１９８７年のことだ。

当初は「無常」と「煩悩破壊」を教義の中心とする宗教団体と考えられていたが、１９８９年に東京都から宗教法人の認定を受けた頃からその活動には非合法なものが増え、しだいに危険な**カルト集団**へと変貌していった。

教祖は、「ヒマラヤで最終解脱した唯一の日本人」という肩書きを持つ麻原彰晃である。空中浮揚ができる超能力者という触れ込みで、多くの若い信者を集めた。

表向きは魂の救済を求めることがその目的とされていた。しかし麻原には異常なまでの金銭欲があり、お布施《ふせ》と称して出家信者に全財産を納めさせたり、頭髪や入浴後のお湯などを高価で販売するなどして、教団に巨額の金を集めていた。

また、麻原は女性信者を性的な捌け口として利用するなど、教義とはかけ離れた行いを重ねた。

海外でも勢力拡大をはかる

それでも信者数は、もっとも多い時で1万数千人にもなった。また、海外進出にも着手し、来世への救済を呼びかけた。公安庁の調べによると、アメリカ・ニューヨーク，ロシア・モスクワ，ドイツ・ボンなどでも勢力拡大をはかっていたようだ。

国内でも、麻原のテレビ出演などがきっかけとなって信者は増え続けていく。なかには麻原の欺瞞に気づいて教団から逃亡しようとする者もいたが、少なくとも5人が殺害されている。その

オウム真理教の富士山総本部に保管されていたロシア製ヘリコプター(写真提供:時事)

ほかにも、いまだに30人以上が行方不明となっている。

当然のことながら社会問題となり、信者になった家族を取り戻そうとしたり、それを支援する動きも広まっていった。

オウムへのバッシングが高まると、教団は「坂本堤弁護士一家殺害事件」「公証人役場事務長逮捕監禁致死事件」「駐車場経営者ＶＸ襲撃事件」など数多くの事件を引き起こし、**敵対勢力への襲撃・殺害**によって世間を恐怖に陥れた。

その一方で、教団は豊富な資金力を生かして着々と武装化されていった。ロシアに渡って高価な武器や戦闘用ヘリを購入したり、自動小銃を密造するなどして、教団は次第に**「国家転覆計画」**に向かって突き進む危険な集団と化していく。

そうしたなかでひそかに製造されていたのが、猛毒のサリンだった。その製造過程では、実験中に「松本

アレフの信者に対するメッセージが描かれた看板（2006年）（©Kamagasaki450/CC BY-SA 3.0）

サリン事件」が起こり、死者8人、重軽傷者600人を出している。

これらに対して公安および警察も、なんとかしてオウム真理教を封じ込めようと動いていた。そして1995年、警視庁はついに全国の教団施設の一斉捜査を決めた。その強制捜査を遅らせるために、麻原は次の計画を実行に移す。それが地下鉄サリン事件だったのだ。

地下鉄サリン事件から2日後、遅ればせながら山梨県にあったオウム真理教の施設に強制捜査が入り、麻原ら幹部数人が逮捕される。そして1996年にオウム真理教は解散命令が出され、宗教法人としての資格を喪失した。

オウム真理教が残したもの

しかし、オウム真理教に関するすべての問題が解決したとは言い難い。

2000年に「オウム真理教」の名前は消滅したが、新しく「アレフ」などの宗教団体が設立され、現在もなお、その教義は引き継がれている。

海外でも2000年に、ロシア人の信徒グループが、麻原を奪還するために日本国内で連続爆破テロを計画していたことがわかっている。さらに2016年には、東欧のモンテネグロで、日本人信徒を含む信者約60人が警察当局に一時拘束されている。滞在目的が自己申告とは違い布教だったため、彼らは国外追放の処分を受けた。

そのような事件が起こっている間も麻原らの裁判は続いたが、2018年にその裁判の終結が宣言され、同年7月に麻原ら幹部全員の死刑が執行された。だが国際的には、オウム真理教は今もアルカイダやタリバンなどと同様の**国際テロ組織**として、強い警戒の対象となっている。

歴史の流れ

ヨガ道場から始まった組織がカルト集団となる

▼

地下鉄サリン事件等多くの凶悪事件を起こす

▼

海外でも国際テロ組織として警戒され続ける

ピーテル・ブリューゲル画『死の勝利』

3章

疫病との戦い

第一次世界大戦を終わらせ次の大戦の引き金になった

スペイン風邪

大流行の震源地はアメリカの基地

ワクチンや治療薬はもちろん、病原体を確認するための光学顕微鏡すらない——。そんな丸腰の状態で人類が初めて遭遇した疫病の世界的大流行は、１９１８～１９２０年に起こった。

１００年前に起きたこのパンデミックは、今では「スペイン風邪」という名称で通っているが、その病原体は「Ｈ１Ｎ１型」の**インフルエンザウイルス**だ。

流行が始まったのはアメリカの陸軍基地だった。１９１８年3月、カンザス州のキャンプ・ファンストンで体調不良を訴える兵士が続出したのだ。3月といえば、いつもなら季節性のインフルエンザがそろそろ終わりを迎える頃だが、その年は様子が違っていた。インフルエンザの患者数が減らないどころか、逆にわずか1週間で１００人に増えたのだ。しかも、悪化して肺炎になる

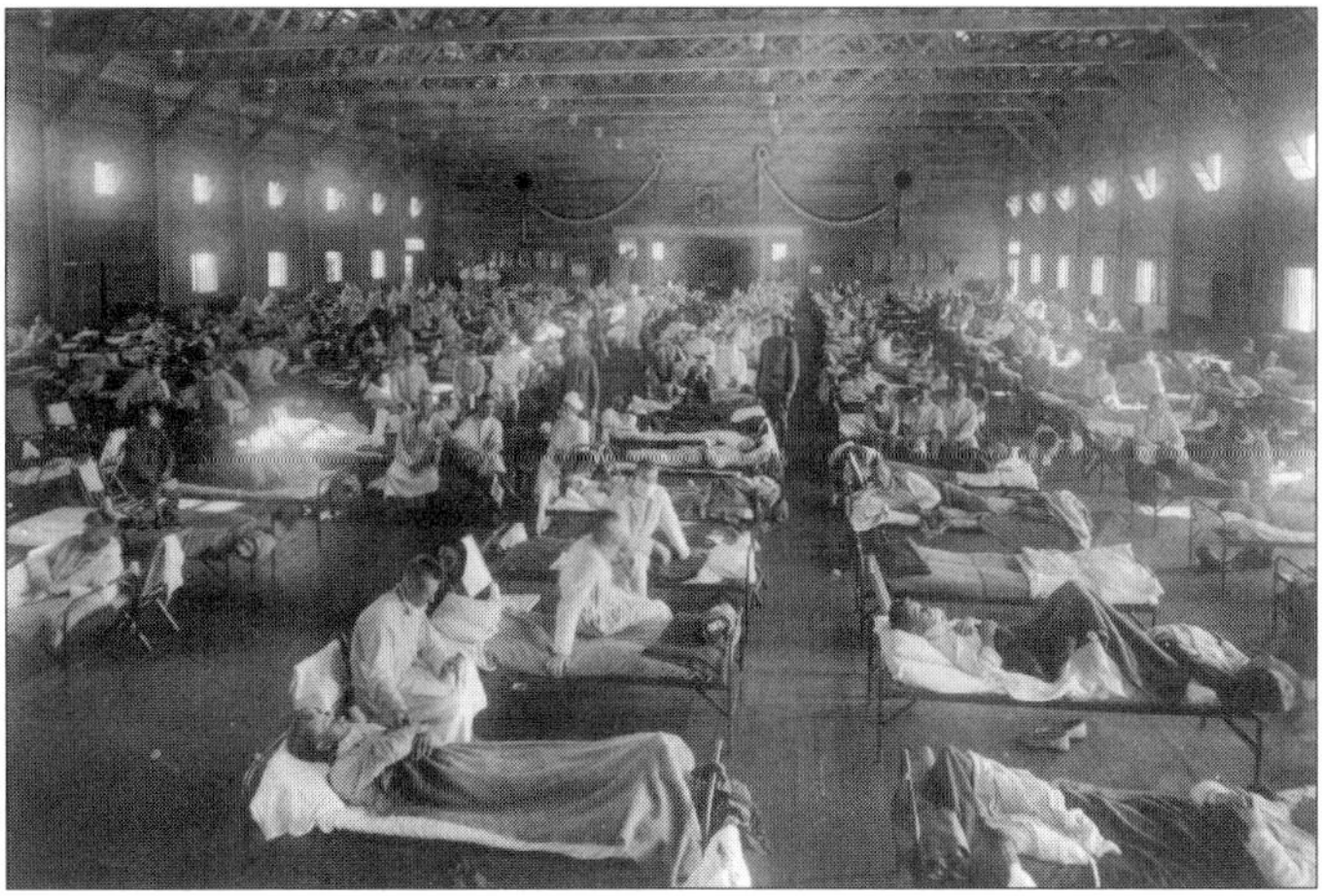

米軍の基地につくられた緊急病院の様子（1918年頃）

患者は3月だけで233人にのぼり、48人が死亡している。

その後、刑務所や大規模な自動車工場などでも集団感染が起こり、アメリカ社会はパニック状態となった。夏にはヨーロッパ全体に広まり、さらに感染は世界各地に拡大する。8月には極東の日本にも達して、秋には全国で猛威を振るったのだ。

ヨーロッパへの運び役となった米兵

ウイルスというのは微生物の中でもかなり小さな存在で、細菌のように細胞を持っているわけではないので自力で増殖することができない。増殖するためには、ヒトや動物の細胞の中に寄生するしかなく、寄生できなければやがて消滅してしまうのだ。

スペイン風邪のウイルスも、人に運ばれて世界の隅々まで増殖していった。まず、アメリカからヨーロッパに運んだのは兵士だった。1918年の春といえば、第一次世界大戦の最中である。開戦当初、アメリカは中立の立場をとっていたが、ドイツの潜水艦にアメリカ市民が乗った商船を撃沈されたことで、否応なく戦場に引っ張り出された。

そのため毎月数十万人のアメリカ兵が主戦場であるヨーロッパに派遣されたが、この人の移動が、ウイルスをわずか数ヵ月でヨーロッパ全体に広めたのである。

これが北半球を襲ったスペイン風邪の第一波だ。当時は感染力こそ強かったものの致死率は1％台とそれほど高くなかった。そして、夏になるにつれて自然と感染は下火になったのである。

イギリスのバッキンガム宮殿前を行進するアメリカ兵（1917年）

第二波の致死率は第一波の10倍

しかし、秋になると第二波が襲来する。しかも、ウイルスは変異し、毒性がきわめて高くなっていた。そのため、感染すると重篤な合併症を引き起こした。

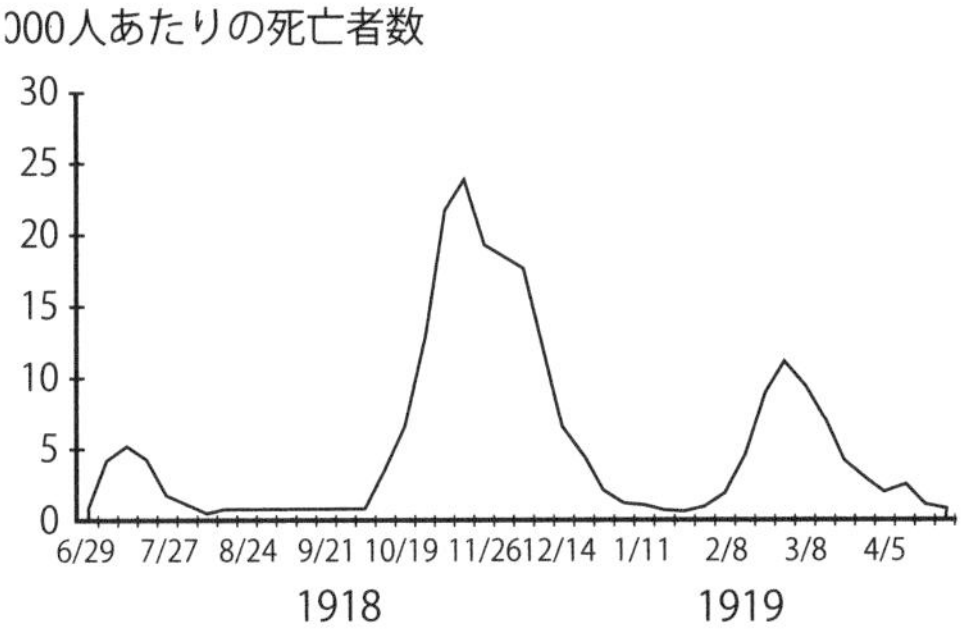

インフルエンザと肺炎の週ごとの合計死亡率。3つの波があったことがわかる。（イギリス・1918～1919）（アメリカ疾病予防管理センター）

ふだん健康に問題のなかった人が発症して12時間で死亡するというケースも相次いだ。第二波の死亡率は、第一波の10倍に跳ね上がったのだ。それは屈強な兵士も例外ではなく、第一次世界大戦で犠牲となった10万人のアメリカ兵のうち、じつに3分の1がウイルスによる死だったといわれている。あまりに被害が大きすぎて、世界は戦争どころではなくなってしまったのだ。

第一次世界大戦は１９１８年11月に連合国軍の勝利で終結したが、このパンデミックがなければさらに長引いたのではないかとみられている。

なぜそこまで感染が広がったのかというと、主な原因は、**戦時下という緊急事態に未知のウイルスの発生が重なった**ことにある。

戦時下では、自国に不利な情報を敵国にキャッチされないように情報統制や隠ぺい工作が行われる。自国の兵士が病気でバタバタと倒れているなどという情報はひた隠しにしなければならない。実際にアメリカが感染について公表することはなかった。しかし、中立国だったスペインでは多くの感染者が出ていることを報道していた。そのため、この謎の感染症は「スペイン風邪」と呼ばれるようになったのだ。

こうして世界的に甚大な被害をもたらしたスペイン風邪は、多くの人が抗体を持つと自然に鎮静化していった。1920年末にウイルスとの戦いが終わった頃には、当時の世界人口18億人のうち5億人が感染、そして4000万とも5000万ともいわれる人々が命を落としていた。

戦争終結の交渉中に大統領が感染

ところで、ウイルスは人を選ばないといわれるが、それは国のトップであっても同じだった。当時のアメリカ大統領のウッドロウ・ウィルソンも感染した一人だったのだが、それが運悪く戦後の体制を決める「ヴェルサイユ条約」の交渉中だった。

被害の大きかったフランスやイギリスは、敗戦国のドイツに対して巨額の賠償金を含む厳しい戦後賠償を求めた。国際平和の実現を目指していたウィルソン大統領はこうした条件に強く反対していたのだが、スペイン風邪で重症となり気力と体力を失ってしまう。そして、会議に復帰するとフランスやイギリスを説得することなくあっさりと条件をのんでしまったのだ。

過酷な賠償を強いられたドイツでは、民衆の不満の受け皿となった**ヒトラー率いるナチス**が現

歴史の流れ

アメリカで インフルエンザが 大流行する

▼

第一次世界大戦中に ウイルスが ヨーロッパへ 持ち込まれる

▼

ドイツの戦後賠償に 影響を与え ヒトラーが台頭する

熱弁をふるうヒトラー（1932年）

れ、権力を握り、再び戦争に打って出た。

そうして第一次世界大戦の終結からわずか20年後、世界は次の大戦へと突き進んでいくことになる。

振り返ってみると、世界中に猛威を振るったスペイン風邪は第一次世界大戦の終結を早めた一方で、さらなる悲劇を生む次の大戦を引き起こす遠因ともなっていたのだ。

何度もパンデミックを起こす
コロナウイルス

中国から名もなきウイルスが拡散

２０１９年末に中国湖北省の武漢市で、名もなきウイルスが確認された。

中国からもたらされた第一報では、このウイルスの感染者は肺炎を引き起こすが、ヒトからヒトへ感染する明らかな証拠はないとされていた。しかしその後、病原体が新種のコロナウイルスと特定され、ヒトからヒトに感染することがわかった。

年が明けるとウイルスは中国を出てアジアを中心とする各国に広がっていく。１月末にはヨーロッパでも感染者が確認され始め、２月下旬になるとヨーロッパ全域の44ヵ国に波及する。３月11日に世界保健機関（ＷＨＯ）が**パンデミック**を宣言した後は、イタリアやアメリカのニューヨークでも感染爆発が起こり、死者の数も激増する。

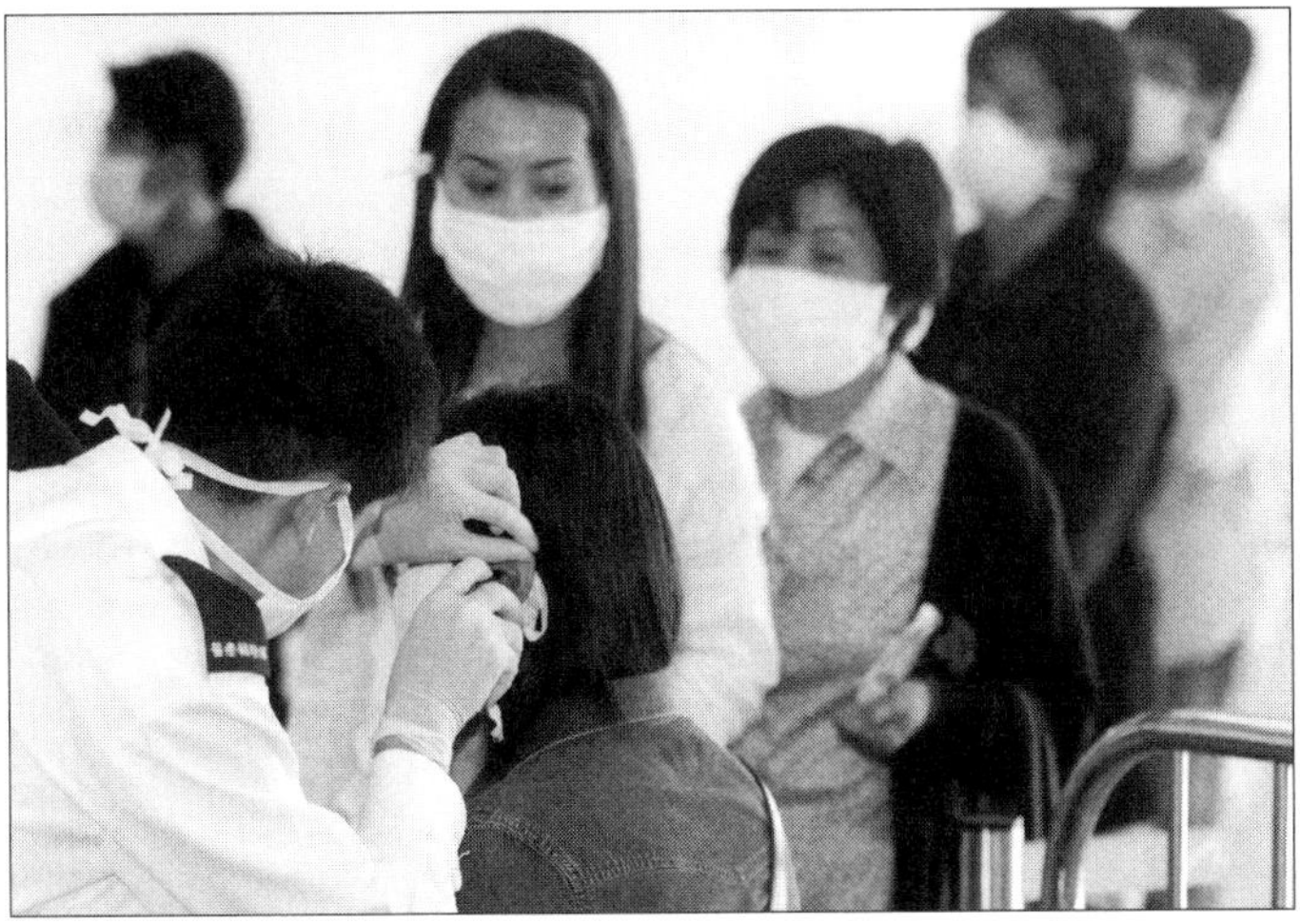

香港の空港で行われたSARS感染予防の体温検査の様子（写真提供：AFP＝時事）

そして行き場のなくなった遺体がスケートリンクに収容されたり、無人島に集団埋葬される事態が起き、人の移動を制限するために政府が都市を封鎖したため、世界各地で通りから人の姿が消えた。

中国発のSARS《サーズ》

２０１９年末に確認されたコロナウイルスが「新型」と呼ばれていることからわかるように、コロナウイルスはほかにも存在する。

現在、全部で７種類確認されていて、そのうちの４種類は、いわゆる普通の風邪のウイルスだ。これらは咳やくしゃみを介してヒトからヒトにうつるが、死に至ることはほとんどない。

そのほかの３種類は、動物から感染して重症肺炎を引き起こすＳＡＲＳ（重症急性呼吸器症候群）、Ｍ

ERS（中東呼吸器症候群）、そして新型コロナウイルスの**「COVID－19」**だ。

2002年11月頃に出現したSARSは、COVID－19と同じく、始まりは中国だった。最初の患者が報告されたのは広東省仏山市で、翌年2月に香港のホテルで集団感染が起きる。そこから感染者はカナダやアメリカを中心に、短期間のうちに37ヵ国に広まっていった。

なぜ、空港の検疫などで、初期の段階で拡散を食い止めることはできなかったのか。それは、新型の感染症が国内で拡散していることを**中国政府がWHOに報告していなかった**からだ。だから各国は防ぎようがなかったのである。

2003年3月になってカナダの公衆衛生局が、中国でインフルエンザが流行しているとWHOに報告し、ようやく世界のメディアが〝新型ウイルス〟の存在を報じるようになる。4ヵ月の空白期間をつくったことで、中国は世界中から非難を浴びることとなった。

SARSには2003年7月までに世界で8096人が感染し、774人が死亡している。致死率は一般的な風邪よりはるかに高い9・6％だったが、ウイルスを媒介する野生動物との接触を断ち、感染者を見つけ出して徹底的に隔離するという戦略によって半年で終息させた。

いまだ制圧できない中東発のMERS《マーズ》

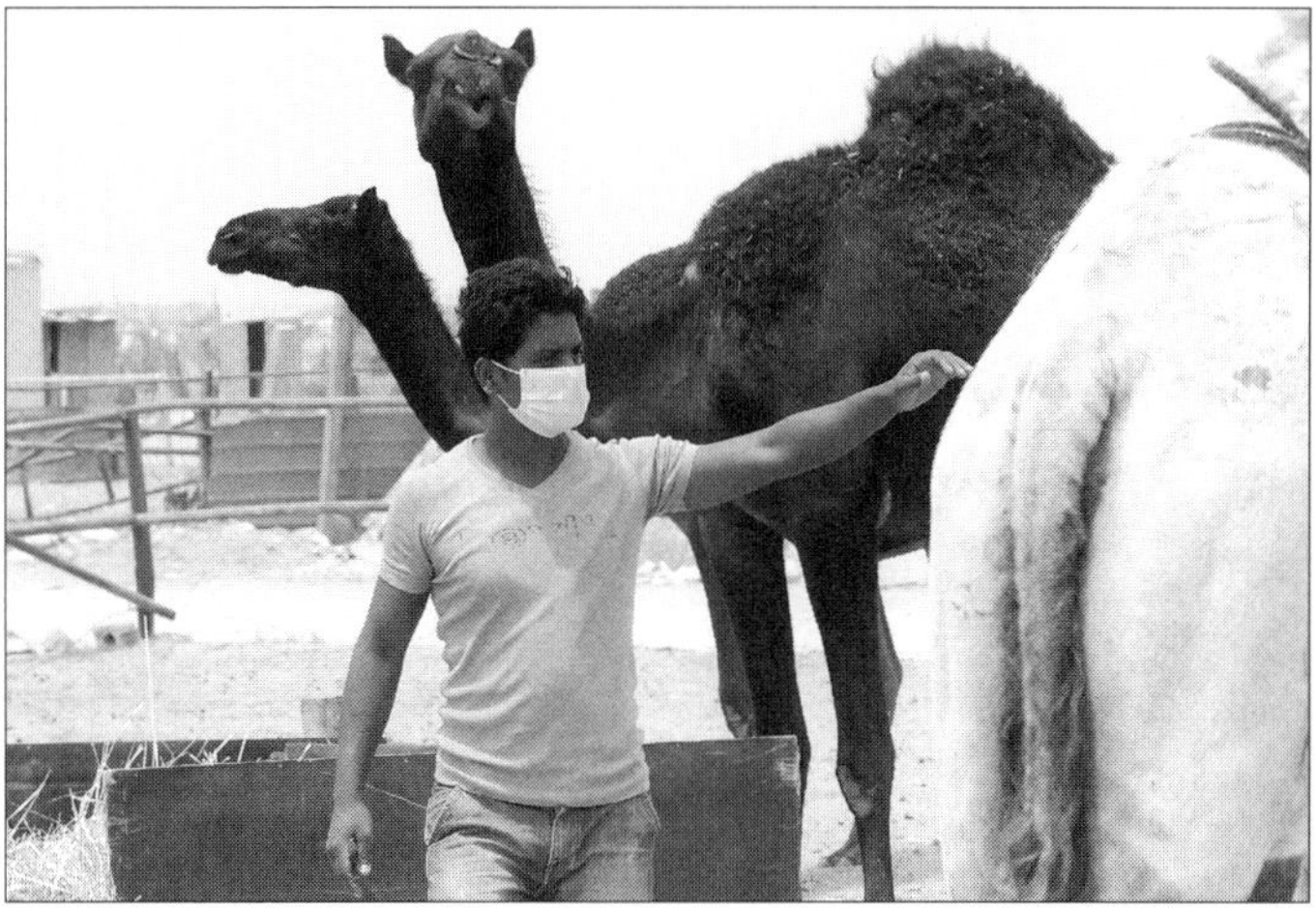

MERSの感染源はヒトコブラクダだといわれている。（写真提供：AFP＝時事）

一方、2012年にサウジアラビアで初めて確認されたMERSは、アラブ首長国連邦やイエメン、オマーンなどアラビア半島を中心とした中東で流行が始まった。その後、中東に滞在した人々がフランス、ドイツ、イギリス、チュニジア、韓国などにウイルスを拡散していった。

2015年には、韓国でバーレーンやサウジアラビア、カタールなどを訪問して帰国した1人の男性の感染から集団感染につながっていく。

男性は発症してから隔離措置がとられるまでに9日かかっていて、その間、4ヵ所の医療機関を受診していた。そこで二次感染、三次感染が発生して180人以上に感染、36人が死亡したのだ。

MERSの致死率は35・7%とコロナウイルスの中ではもっとも高い。

一般的に致死率が高いウイルスは、宿主であるヒトの移動が制限されるため封じ込めやすいのだが、MERSの場合はいまだに制圧できていない。

その理由は、主な感染源がヒトコブラクダだからだといわれている。乾燥した環境に強いラクダは今でも一部の国で交通手段として使われていたり、競馬ならぬ競駝《けいだ》がさかんに行われ、食用としても利用されている。

そのため、接触を完全にシャットアウトできず、アラビア半島ではMERSウイルスのヒトへの感染はいまだに抑え込むことができていないのだ。

新型コロナウイルスの終息はいまだ見えず

COVID-19が中国の武漢市で感染が拡大した当初は、かかったとしても軽い風邪程度などといわれていたが、欧米で大流行が始まるとかなり危険なウイルスであることがわかってきた。

まず、感染しやすい。感染爆発が起きたイタリアやスペイン、アメリカなどでは2、3日で累計感染者数が倍増し、アメリカは57日目に1万倍の100万人に到達している。これは感染しても約8割が無症状や軽い症状で済むため、市中にウイルスが持ち込まれて感染が起こりやすいことが原因のひとつになっている。

さらに、一度感染すると免疫ができて二度とかからないというタイプのウイルスではなく、再

歴史の流れ

ＳＡＲＳが流行し約半年で終息する

▼

ＭＥＲＳが流行しいまだ終息しない

▼

ＣＯＶＩＤ－19が世界中で大流行する

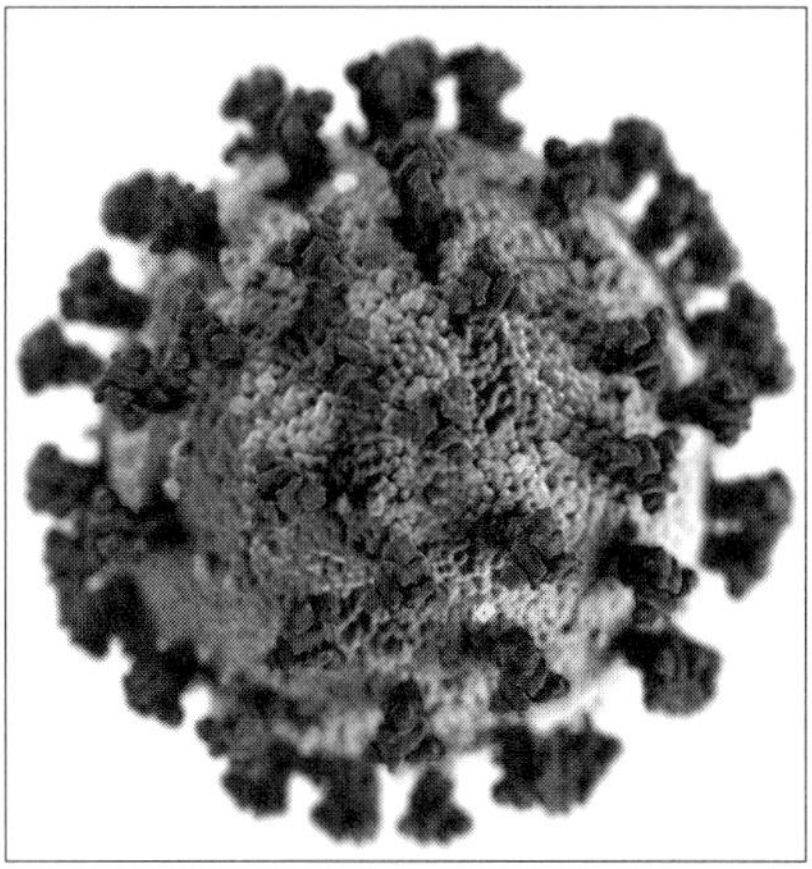

新型コロナウイルスCOVID-19の構造。ウイルスの表面にある突起が王冠（コロナ）のように見えることからこの名で呼ばれる。

感染することも珍しくないという、かなり厄介なウイルスであることなどもわかってきたのだ。回復をして終わりではなく、今なお多くの人が後遺症に悩んでいるのである。

２００２年のＳＡＲＳ、２０１２年のＭＥＲＳ、そして２０１９年のＣＯＶＩＤ－19と、20年たらずの間に新たなコロナウイルスが次々と確認されている。

ＣＯＶＩＤ－19が終息、または共存できるようになったとしても、新たなウイルスの脅威は常に我々の日々の生活のそばにあるのだ。

中世ヨーロッパの社会を崩壊させた
ペスト

全ヨーロッパを震え上がらせた謎の病

中世のヨーロッパには、百年戦争をはじめとして異端審問、魔女狩り、封建社会など暗いイメージがつきまとう。なかでも、この暗黒の時代を象徴するのがペスト（黒死病）だ。

ペストの病原菌は、20世紀を前に「日本の細菌学の父」と呼ばれる北里柴三郎によってペスト菌であることが突き止められたが、それまで長い間原因がわからなかった。

幾度となく社会に蔓延して人類を苦しめてきたペストだが、なかでも厳しい戦いとなったのが、中世ヨーロッパで起きた爆発的な大流行だった。

ペストに感染するとリンパ腺がリンゴほどの大きさにまで腫《は》れて、間もなく皮膚に黒い斑点が現れる。そして、数日のうちに死んでしまうのだ。

しかも伝染力がきわめて強く、感染はまさに野火のように広がっていく。**患者の致死率は6割**ともいわれ、イタリアやイギリスでは住民が全滅した村もあった。そのため、たとえ家族が感染したとしても看病することを放棄するほど恐れられたという。

最新の研究では、この大流行が終息するまでにヨーロッパの全人口のじつに60％が亡くなったといわれているのだ。

擬人化されたペストの脅威（ベックリン画）

感染経路はモンゴル帝国のネットワーク

中世ヨーロッパで各地にペストが広がった原因は、**国境を越えたグローバルネットワーク**が発達していたことにある。

13世紀初頭、遊牧国家のモンゴル帝国が成立し、その領土はまたたく間にユーラシア大陸の大部分にまで拡大した。

モンゴル帝国が繁栄した時期、領域内は

東西交易路でつながれ、大きな経済圏となっていた。そこを自由に行き来していた人やモノが感染症を運んだのだ。

かねてよりペストは中国南部の雲南省あたりで風土病として存在していて、そこに遠征したモンゴル軍が中央アジアに持ち帰ったとされている。それが黒海経由で地中海に運ばれたのである。黒海沿岸の都市カッファは当時、一大海港都市だったジェノバの植民地となっていて、イタリア商人の船が行き交っていた。その船にペスト菌を持ったネズミが入り込み、船が立ち寄ったクレタ島やシチリア島、コルシカ島といった地中海の島々にペストがもたらされた。それが1347年のことだ。そこからヨーロッパ各地に一気に広がり、翌年の4月に北イタリアのフィレンツェ、そして11月にはイギリスにまで達した。

被害はイスラム世界にもおよんでいる。当時、エジプトを支配していたマムルーク朝は紅海と地中海を結ぶ交易で繁栄していたのだが、それがあだとなった。ペストの大流行で一気に多くの死者を出し、そこから王朝の衰退が始まってしまったのだ。

ヨーロッパの社会構造が変わる

一方、ヨーロッパではペストの猛威が社会構造を変化させることになった。

ペストの惨禍を描いた絵画。王冠をかぶった者もそうでない者も、同じように骸骨に襲われている。（ブリューゲル画）

14世紀当時のヨーロッパは封建制のもとにあり、農民は「農奴」と呼ばれる奴隷的な身分にあった。

彼らは領主から与えられた土地に縛りつけられて作物を作り、税金を納める必要があった。職業選択の自由はなく、農奴の家庭に生まれると一生農奴として生きていくのが当たり前だったのだ。

しかし、ペストは王族にも農奴にも同じように襲いかかり、**身分に関係なく死をもたらす**。そうした現実が農奴階級には平等に見えた。

そこで彼らは「人はもともと平等だ」と説く指導者のもと、各地で一揆を繰り広げるようになる。

また、感染により多くの死者が出て農奴人口が減ったことで、労働力が不足し、荘園の維持が難しくなった。そのため領主は、農奴がより良い待遇を求めて他の土地に逃げ出してしまわないように、待遇を改善せざるを得なくなった。そこから農奴解放が進み、封建制が打破されることになったのだ。

教会への不信が高まり新しい流れが生まれる

当時の西ヨーロッパを支配していたローマ・カトリック教会の権威もペストによって失墜した。

中世ヨーロッパ社会では、教会が強大な権力を持って君臨していた。政治や経済、文化などあらゆる面に教会の考えが反映され、人々の思想を支配していたのだ。

しかし、教会がどれだけ祈ってもペストの感染は止まず、医学担当の神父にも治せない。しかも、社会のトップに君臨していたはずの高位聖職者が、我先にと都市部から逃げ出してしまったのだ。人々がその姿に失望し、しだいに教会に不信の目を向けるようになったのはいうまでもない。

また、それ以前にも教会は幾度にもわたる十字軍遠征に失敗していて、聖地エルサレムをイス

教皇(左)とルター(右)の対立の風刺画。教皇は怪物の姿で描かれている。(ドイツで出版された文書より)

歴史の流れ

モンゴル帝国のネットワークをたどりペスト菌がヨーロッパに入る

▼

キリスト教の権威が失墜する

▼

宗教改革や農奴解放などの社会変革につながる

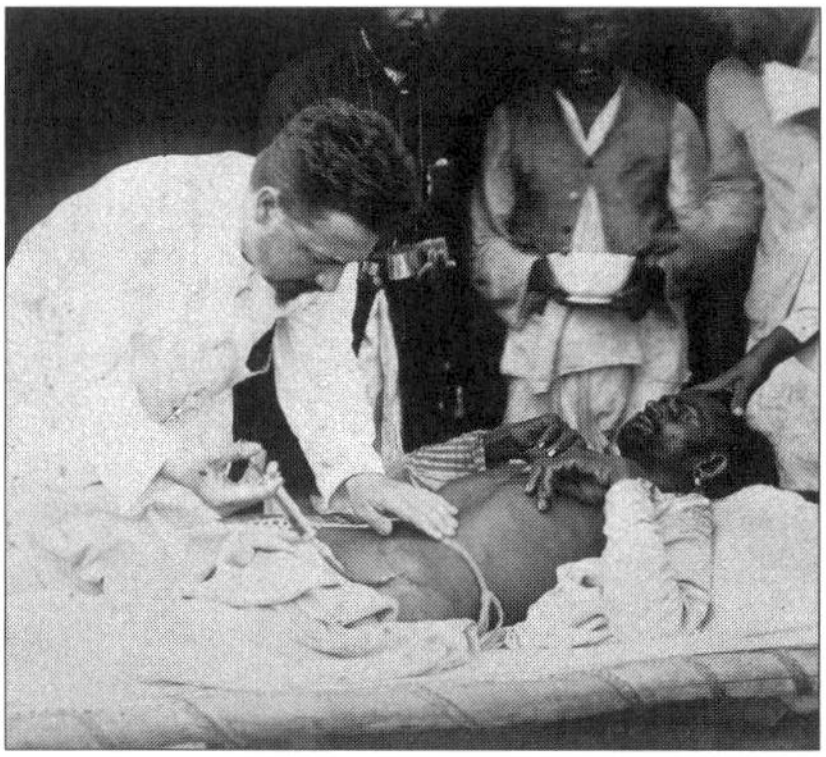

インドのペスト患者を診察する医師（1897年）

ラム教から奪還できなかったことで不信を買っていた。

そんな失点を重ねたことで、ペストの嵐が過ぎ去ると教会の権威は大きく損なわれた。イングランドやチェコでは公然と教会を批判する者が現れ、その流れはルターの**宗教改革**や、人文主義をうたう**ルネサンス**へとつながっていく。

もっとも、ペストは完全には終息していない。19世紀になってペストはインドで1200万人の死者を出していて、現在もアフリカで患者が確認されている。今後また世界のどこかで大規模感染が発生する可能性はゼロではないのだ。

人類が勝つことができた唯一の感染症
天然痘

エジプトのミイラにも残る天然痘の痕跡

人類の歴史は、数々の細菌やウイルスによる感染症との戦いとともに刻まれてきた。近年も新たなウイルスが短期間に複数出現していて、感染症との戦いは永遠に続くかのように思われる。

そんななかで、人類が初めて打ち克《か》つことができた感染症が天然痘だ。

天然痘との戦いはじつに長く続いてきた。古代エジプトのミイラから天然痘に感染した跡が見つかっていることから、数千年以上も人類を苦しめてきたことがわかる。

この伝染病が恐ろしいのは、**非常に感染力が強く致死率も高い**ことだ。１６６３年に人口４万人のアメリカの先住民の村で天然痘が流行したという記録が残っているのだが、流行が過ぎ去ったあとの村の生存者はわずかに数百人だったという。

源為朝が天然痘の神を追い払う絵画（月岡芳年画）

天然痘ウイルスに感染すると、7〜16日間の潜伏期間を経て急激に40度前後の熱が出て、その後、顔や頭を中心に体全体に直径1センチメートルほどの水疱ができる。その後も高熱が続き、呼吸不全に陥《おちい》ると最悪の場合、死に至ってしまうのだ。

その時期を乗り越え、かさぶたが乾燥してくると治癒に向かうのだが、その後も1年ほどは感染力が残る。さらに、かさぶたの跡は生涯消えることはなく、顔にもくっきりと残ることから忌み嫌われる病だった。

日本では、渡来人の往来がさかんになった6世紀半ば頃に初めて天然痘が流行したとみられる。

奈良時代の政治の中心だった平城京で、政権を担っていた藤原四兄弟が相次いで死去したのは天然痘が原因だったとされている。この「天平の疫病大流行」を封じるために、奈良の大仏が建立されたというのはよく知られた話だ。

また、天然痘の膿《うみ》が目に入って失明する者も多く、「独眼竜」と呼ばれた伊達政宗も幼少期に天然痘に感染して失明したといわれている。

征服者が持ち込んだ〝死の病〟により2つの王国が滅ぶ

また天然痘は、兵器として利用されたこともあった。なかでも悲惨だったのが、16世紀の〝新世界〟での大流行だ。

コロンブスが大航海に乗り出し、アメリカ大陸に到達したのは15世紀末のことだ。新大陸に高度な文明を築くアステカ王国があることを知り、これを黄金郷だと信じたスペイン人は、兵士を送り込んで先住民と激しい戦闘を繰り広げた。

歴史の教科書などでは、スペイン軍は武力によって王国を滅亡させたように伝えられているが、彼らが用いたのは武力だけではなかった。天然痘ウイルスを**征服のための武器**として利用したのだ。スペイン人が持ち込んだ天然痘に感染した先住民は次々に倒れていった。

スペイン軍にも感染者は出たかもしれない。ただ、天然痘ウイルスは紀元前からヨーロッパに存在していて、しかも一度かかると二度と感染しなかったため、スペイン人はある程度の免疫を獲得していたようだ。しかし、新大陸の先住民にとっては恐怖の対象でしかなかった。

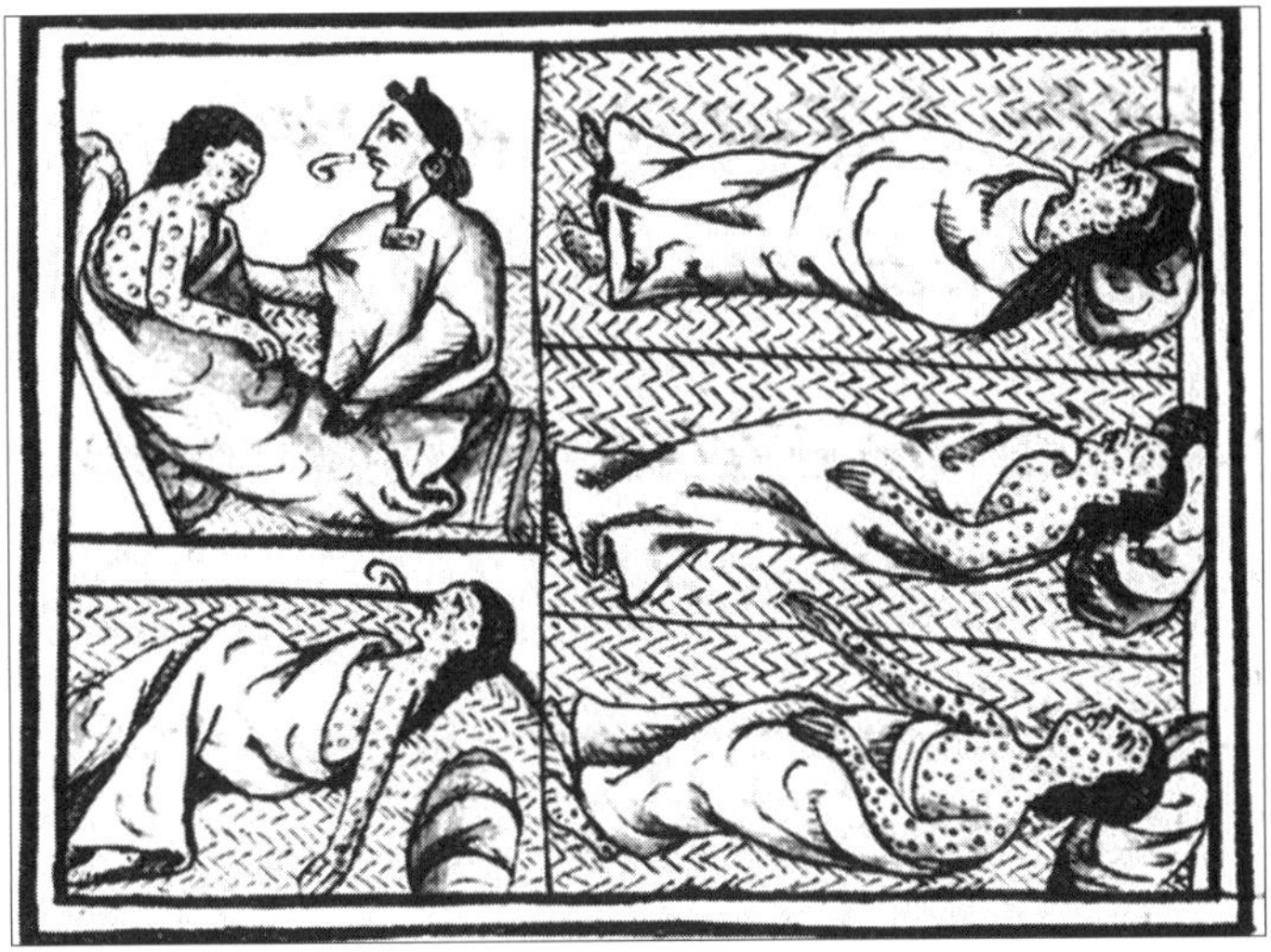

アステカを襲った天然痘の様子

しかも、首都テノチティトランで天然痘の流行が始まったのは、スペイン軍がいったん撤退した後だった。撤退から流行までに数ヵ月というタイムラグがあったのだ。

敵軍は姿を消したというのに、味方が次々と死んでいく。ウイルスという見えない敵に襲われた王国はパニックに陥ったことだろう。

そして、スペイン軍が戻ってきたときには、多くの先住民が抵抗することなく征服者の側についたという。戦力を失ったアステカ王国は1521年に滅亡した。

大西洋奴隷貿易が始まるきっかけとなる

また、同じ時代に繁栄していたインカ帝国でも、

ジェンナーと思われる医師が乳しぼりの女性の牛痘を観察する様子

人口の60〜90％が天然痘に感染したという。

インカ帝国は、一攫千金を夢見て大西洋を渡ってきたスペイン人征服者のピサロと200人以上の荒くれ者、そしてメキシコから伝播《でんぱ》した天然痘ウイルスによって崩壊してしまったのだ。

ところが、先住民の多くが死に追いやられると、現地で植民地を経営していたヨーロッパ人は労働力不足に悩むことになった。そこで彼らはアフリカから黒人を奴隷として輸入することで問題を解決したのだ。

ここから3世紀にわたって、いわゆる**大西洋奴隷貿易**が続いた。天然痘は、このような形でも犠牲者を増やしたのである。

天然痘ウイルスの根絶に成功する

多くの人間を死に追いやった天然痘だったが、18世紀末になってようやくイギリスで予防法が発見された。

イギリスでは昔から、牛の病気である「牛痘《ぎゅうとう》」に感染した乳しぼりの女性は天然痘にかからないことがわかっていた。そこで、医師のエドワード・ジェンナーが牛痘に感染した女性の発疹から液体を取り出して実験を繰り返し、ワクチンを開発した。

ただ、完全な根絶にはもう少し時間が必要だった。

天然痘の撲滅計画が立ち上がったのは1958年のことだ。「世界天然痘根絶計画」が始まり、そこからワクチンで徹底的にウイルスを封じ込めることが続けられた。

その地道な活動によって、1977年を最後に天然痘の感染者はいなくなった。天然痘ウイルスは地球上から消え去ったとして、1980年にはWHOが根絶を宣言した。膨大な犠牲を出した天然痘との戦いを、人類はようやく終わらせることができたのである。

歴史の流れ

新大陸で天然痘が蔓延し先住民の王国が滅亡する

▼

労働力不足を背景に奴隷貿易の遠因になる

▼

1980年に根絶が宣言される

現在も感染者が増え続けている
梅毒

「コロンブス交換」でヨーロッパに上陸？

「コロンブス交換」という言葉がある。これは15世紀末の大航海時代以降、〝旧世界〟のユーラシア大陸と〝新世界〟の南北アメリカ大陸との間で、それまで各大陸にはなかった植物や動物、武器などがそれぞれに持ち込まれたことをいう。

たとえば、今やヨーロッパ各国の料理に欠かせないトマトやジャガイモ、トウモロコシはいずれも南米原産で、逆にパンなどの原料である小麦は、コロンブス交換によって新大陸に持ち込まれたものだ。

そして、交換されたのは作物だけではなかった。ユーラシア大陸からアメリカ大陸に天然痘が持ち込まれたように、アメリカ大陸からは梅毒が大西洋を越えて持ち込まれたとされている。

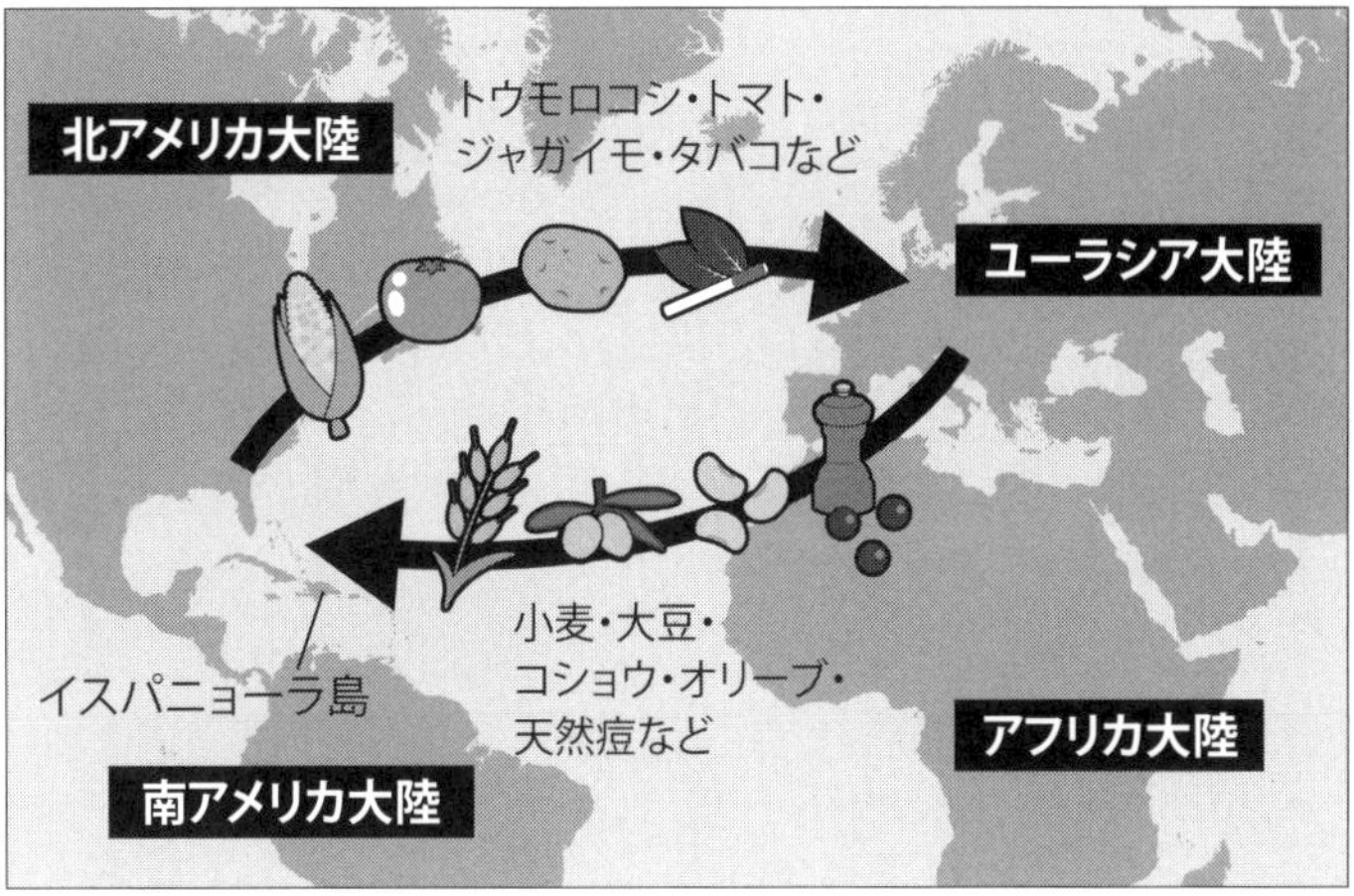

ヨーロッパで梅毒が最初に確認されたのは、1494年のイタリア戦争の戦場だった。当時スペイン領だったナポリに侵攻したフランス軍の兵士の間で感染が広がり、そこからあっという間にヨーロッパ全土に広まったのだ。

いったい病原菌はどこからきたのか、当時の人々は不審に思った。そして、原因を他国になすりつけ合った。フランス人は自国の兵士がナポリから持ち帰ったとして「ナポリ病」と呼び、それに対してイタリア人は「フランス病」と呼び、忌み嫌ったのだ。

ヨーロッパを経由して世界に広がる

梅毒の感染経路について広く一般に信じられているのは、前述したように、アメリカ大陸に渡ったスペイン人の征服者たちが持ち帰ったという説だ。

梅毒がヨーロッパで大流行した1494年といえば、コ

謎の病気の原因を星回りの悪さに求める説もあった。
（デューラー画）

ロンブスの船がスペインに帰還した翌年にあたる。

イタリア戦争に参戦していたスペイン軍には、航海から戻ってきた水夫が大勢参加していた。

コロンブスらが上陸した島のひとつであるイスパニョーラ島では、梅毒は島の風土病だったと考えられている。水夫らが現地の女性と交わったことで感染し、彼らがヨーロッパに戻り、戦場に向かったことが感染拡大の原因だとされているのだ。

実際のところ、梅毒がアメリカ大陸からユーラシア大陸に持ち込まれたという確固たる証拠はない。だが、謎の疫病として突如《とつじょ》としてヨーロッパに現れたのは間違いないのだ。

その後、ヨーロッパで感染爆発した梅毒は世界各地に広がっていった。当時は現代のように1日で地球の裏側まで移動する交通手段がなかったため、広まりは格段に遅かった。それでも人が移動すれば感染は確実に広がっていく。

インドに梅毒を持ち込んだのはインド航路を発見したバスコ・ダ・ガマだといわれており、中国へはシルクロードを通して唐に入り、その後、全土に広まった。

日本では1500年以降に確認されている。南蛮貿易の拠点だった長崎から感染が始まり、わずか1年で東北まで拡散した。

ペニシリンという特効薬の発見

梅毒は性感染症で、感染者と性交渉することで感染することが多いが、それ以外にも薬物を注射で回し打ちしたり、胎盤を通して母子感染したりすることもある。

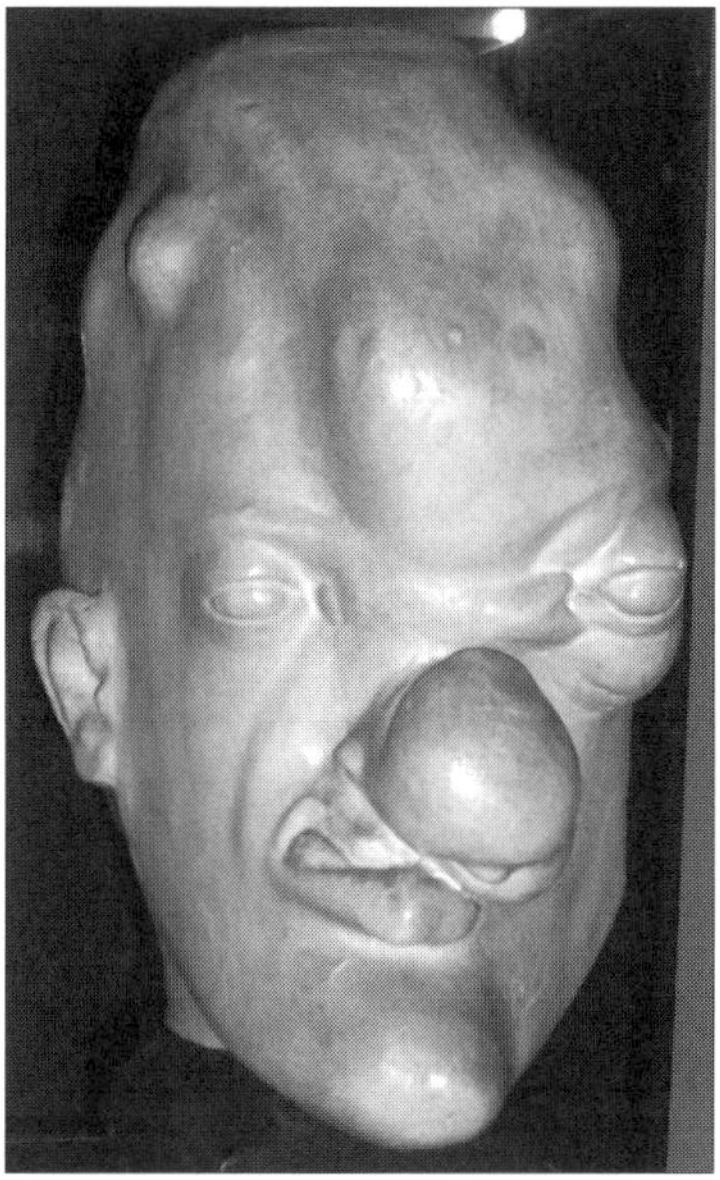

梅毒患者の頭像。症状が悪化すると元の形を保てなくなるおそれがある。（パリ「人類博物館」の展示物）

病原体は梅毒トレポネーマという細菌で、粘膜や小さな傷口から体内に入り、血液を通じて全身に広がっていく。初期症状としては、痛みのないしこりができて、その後、感染した箇所に近いリンパ節が腫《は》れる。感染から3週間くらいを「第1期梅毒」といい、この時期に抗生物質のペニシリンを投与すれば完治する。

ペニシリン生産能力を持つカビのサンプル（©Science Museum London / Science and Society Picture Library/CC BY-SA 2.0）

しかし、治療せずに3ヵ月ほどたつと、背中や腰、手のひらなどに「バラ疹」と呼ばれる淡い色の赤い発疹が現れ、発熱や疲労感が出るようになる。

さらに数年が経過すると悪化し、皮膚や筋肉などにゴムのような腫瘍ができたり、血管や脳などに異常が生じて死亡することもあるのだ。

世界初の抗生物質である**ペニシリン**が1928年に発見され、1942年に臨床で使用されるようになったことで、梅毒は早期に治療をすれば完治する病気になった。ペニシリンは、まさに梅毒の特効薬だったのだ。

近年も先進国で感染者が増えている

しかし、特効薬ができたからといって梅毒を根絶できたわけではない。先進国では1990年代からしばらくは患者が減っていたが、日本や欧米では近年、若者を中心に感染者数が増えているのだ。

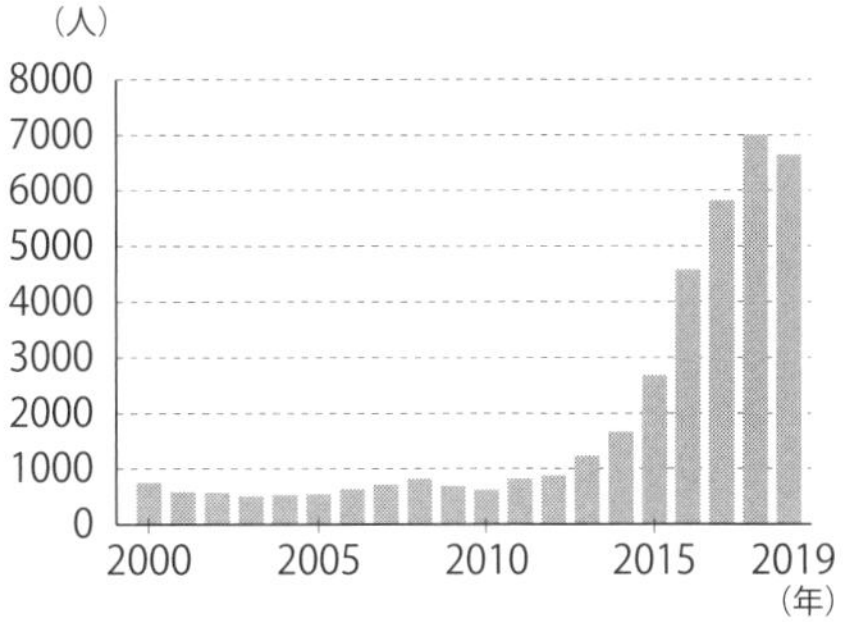

梅毒報告数の年次推移（厚生労働省「性感染症報告数」調査（https://www.mhlw.go.jp/topics/2005/04/tp0411-1.html）をもとに作成）

日本では１９９３年以降、全国の年間感染者数は１０００人を下回っていた。ところが、２０１３年に再び１０００人を超えて以降年々増え続け、２０１９年には６６００人以上にのぼっている。増えているのはおもに20～40代の女性と若い女性の感染者で、若い女性の感染率に比例して母子感染も広がっている。

感染拡大の理由のひとつとして、ＳＮＳや出会い系アプリを通じた不特定多数との性交渉を挙げる専門家もいるが、それが証明されたわけではない。

過去の病気と思われていた梅毒は、今また**現在進行形の脅威**となっているのだ。

歴史の流れ

大航海時代の船やシルクロードを通じて世界各地で大流行

▼

ペニシリンの発明により感染者が減る

▼

日本や欧米でふたたび感染者が増加中

アレクサンドロス大王や平清盛の命を奪った？
マラリア

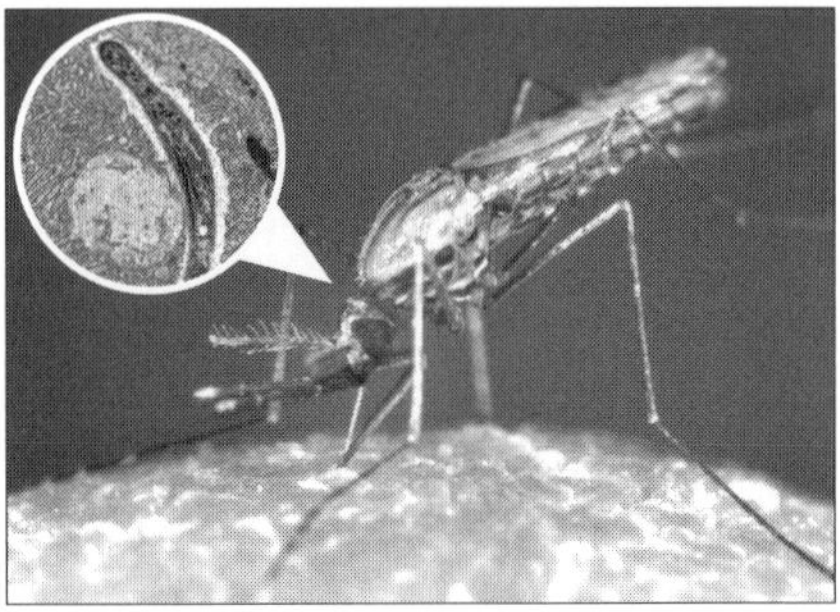
ハマダラカとマラリア原虫（左上）（©2005 Frevert et al）

制圧できない世界三大感染症のひとつ

マラリアは現在の日本ではあまり馴染みがないが、世界的にみると、ＨＩＶや結核とともに「世界三大感染症」である、恐ろしい感染症だ。

アフリカを中心に中南米や東南アジアなど世界の約90ヵ国が感染地域となっていて、２０１７年には2億人以上が感染し、およそ44万の人命が失われている。

マラリアの病原体は菌やウイルスではなく、**マラリア原虫**という寄生虫だ。この寄生虫はハマダラカという蚊の腸の中に潜んでいて、ヒトからヒトへと飛び回って感染者を増やす。それが大流行の引き金になるのだ。

現在のマラリアの発生地は80％がサハラ以南のアフリカなので、熱帯地の疫病というイメージが強い。しかし、かつてはロシアやスカンジナビア半島、北海道などの寒冷地など、地球のほぼ全域に蔓延していたのだ。

アレクサンドロス大王や平清盛もマラリアで死亡した？

マラリアは霊長類共通の感染症で、先史時代からこれまで多くの人の命を奪ってきた。犠牲となった人の中には歴史に名を残す人物も含まれている。

アレクサンドロス大王像
（©Giovanni Dall'Orto）

その一人とされているのが、紀元前323年に32歳で死亡したアレクサンドロス大王だ。

この古代ギリシャのマケドニア王国の王は、遠征での連戦連勝によってインド北西部までに広がる広大な国を築いたが、インドで熱病に侵《おか》されてあっけなく死亡している。一説によると、死因はマラリアだったとみられている。

また日本では、平清盛の死因がマラリアだったと考えられている。『平家物語』には、清盛は突然異常なほどの高熱に侵され、「熱い熱い」と言い続けたという。体を水につけるとあっという間に湯になったほどだったと書かれているが、この記述は、マラリアに感染したときに現れる高熱の症状に似ているのだ。もしこの2人が死なずにもう少し生き続けていたとしたら、世界史が書き換えられていたかもしれない。

「奇跡の薬」の使用が禁止される

先史時代以前から長い戦いが繰り広げられてきたにもかかわらず、長い間、人類はこの感染症の治療法はおろか原因さえ突き止められなかった。

ようやくマラリア研究に明るい光が差し込んできたのは、19世紀末になってからだ。フランスの軍医だったシャルル・ルイ・アルフォンス・ラヴランが病原体を発見し、イギリスの内科医ロナルド・ロスが感染にハマダラカが媒介していることを突き止めたのだ。

病原体と感染経路が解明されると、その後、**DDT**という強い殺虫作用のある薬が開発された。ＤＤＴはコストパフォーマンスに優れているうえに、一度散布すると長期間にわたって効果

ドイツのジャガイモ畑にDDTを散布する様子（1953年）（©Bundesarchiv, Bild 183-20820-0001 / CC-BY-SA 3.0）

が続く。実際、DDTによって1940～60年代には欧米やインド、南アフリカなどでは感染者が激減した。2000年には人類はマラリアとの戦いに勝利するだろうとの期待も高まっていた。

ところが使い続けているうちに、この「奇跡の薬」の効果が薄れてきた。使い続けたことによって、耐性を持った蚊が大多数になってしまったのだ。

しかも、大量に散布したことで環境が汚染され、**人体への影響**も懸念されるようになったため、DDTは使用が禁止された。

優れた化学物質も、生命の進化にはついていけなかったのだ。

今も年間40万人の死者が出ている

ひとくちにマラリアといっても、マラリア原虫には

タンザニアのクリニックの様子（2009年）（©ibmphoto24）

いくつかの種類がある。

そのなかで人体に感染するのは「熱帯熱マラリア原虫」、「三日熱マラリア原虫」、「四日熱マラリア原虫」、「卵型マラリア原虫」の4種類で、初感染の際には必ず発熱と解熱を繰り返すのだが、原虫によってその間隔や潜伏期間が違う。

たとえば、三日熱マラリアや卵型マラリアの潜伏期間は14日前後で、48時間ごとに発熱を繰り返す。

四日熱マラリアは1ヵ月近くの潜伏期間のあと、72時間ごとに発熱する。

もっとも重症化しやすい熱帯熱マラリアは12日前後で発症し、毎日何度も発熱と解熱を繰り返すのが特徴だ。合併症を伴うことが多く、**早く治療しないと高い確率で死に至る**。年間40万人以上の命を奪っているのもこの熱帯熱マラリアだ。

年間40万人というと相当の数だが、できる限りの対策を講じたうえでこの死者数に抑えられているというのが現状だ。

それでも、殺虫剤を散布したり、抗マラリア薬を染みこませた蚊帳《かや》でベッドを覆うなどの地道な駆除努力の結果、過去20年間で680万人の命を救ったと推計されている。

もちろんワクチン開発も進んでいて、2019年にはアフリカで子供を対象としたワクチンの集団接種も始まっている。しかし、ワクチンは4回接種しなければ効果が薄れ、しかもけっして安くないお金がかかるという問題も立ちはだかり、効果は限定的とみられている。

日本では1962年に全域でマラリアが撲滅されたが、現在でも海外から持ち込まれる例は年間100件以上ある。また、地球の温暖化により、熱帯地に生息しているハマダラカが北上してくることも懸念されている。

マラリアの制圧にはまだまだ時間がかかりそうだ。

歴史の流れ

先史時代からマラリアによって多くの人命が奪われ続ける

▼

薬が開発されるが使用が禁止される

▼

現在も年間約40万人がマラリアで死亡している

７度のパンデミックを引き起こした
コレラ

もとはインドの風土病だった

現在でも毎年２００～４００万人の患者を発生させているコレラは、**国際伝染病の花形**といわれている。

なぜ〝花形〟なのか。それは、とにかく**伝播《でんぱ》速度が格段に速い**からだ。ほかの感染症よりも遅れて世界に広まったにもかかわらず、これまでに７回もパンデミックを起こしている。

そのうちの１回目から６回目の大流行は、いずれもインドのベンガル地方から始まった。コレラの発生源は、この地方を流れるガンジス川だ。

ガンジス川といえばインド人の約８割を占めるヒンドゥー教徒の聖地であり、聖なる川には今でもたくさんの信者が身を清めにやってくる。しかし、日本人がその水を口にすれば、ほぼ間違いなくコレラなどの疫病を発症するだろう。ガンジス川下流の水は、生活排水や排泄物などで汚染されているからだ。

しかし、毎日のように沐浴をしている信者は体に異変を感じない。それはコレラがこの地域の風土病のひとつであり、巡礼を通じてインドの人々の多くがすでに耐性を獲得しているからだと考えられている。

ガンジス川は人々の生活の場として機能している。
(©Andreasegde/CC BY-SA 2.1 ES)

イギリスの貿易船が菌をインドの外に運び出す

インドの風土病だったコレラが、初めてインドの外に出たのは1817年のことだ。

その当時のインドはまだイギリスの植民地ではなかったものの、産業革命で近代化したイギリスが綿織物を大量に送り込むなどして、インドを完全に支配するようになっていた。それまでインド国内に留まっていたコレラ菌が国境を越えたのは、まさにこの頃だった。イギリスの貿易船が現在のスリランカからインドネシア、東南アジア、中国へと航行しながらコレラを各地に広め、1回目の世界的大流行が起こったのだ。

日本にも1822年、中国大陸の清を経由して九州に上陸する。このときは江戸まで達することはなかったのだが、西日本では少なくない犠牲者を出したはずだ。なぜなら日本人の間ではコレラは**「コロリ」**と呼ばれ、感染すればあっけなく死に至ることも少なくなかったからだ。早ければ、発症から数時間で命が奪われることもあったという。

1826年に始まった2回目の世界的大流行では、感染がヨーロッパやイスラム世界にもおよんだ。バルト海からイギリス、アイルランドに上陸し、アイルランド移民によってアメリカ大陸にも拡大した。また、サウジアラビアのメッカには巡礼で訪れたイスラム教徒が運ぶなど、またたく間にコレラは世界中を席巻していったのだ。

ペリー艦隊が日本にコレラを運んだ？

1840年に始まった3回目の大流行時には、1回目のときと違い、コレラ菌は日本全国に広

妖怪「虎列刺（コレラ）」。左側から人間が大砲で消毒薬を放っている。（『錦絵 医学民俗志』より）

まった。

このとき日本へ菌を運んできたのは、**ペリー艦隊所属のミシシッピー号**だとされている。長崎に到着したミシシッピー号の乗組員からコレラ患者が出て、そこから全国に拡散したようだ。

死者は江戸の市中だけでも10万人を超えたといわれる。当時の江戸には知識人や文化人が多く暮らしていたが、浮世絵師の歌川広重も、このときのコレラ大流行によって命を落としている。

また、同じ時期にイギリスのロンドンにあるブロード・ストリートでは、汚染されたポンプ水で集団感染が起きている。

テムズ川から供給された水にコレラ菌が含まれていて、３日間で１２７人、10日間で５００人の周辺住民が死亡したのだ。

第５回の流行時には、ロシアの作曲家のチャイ

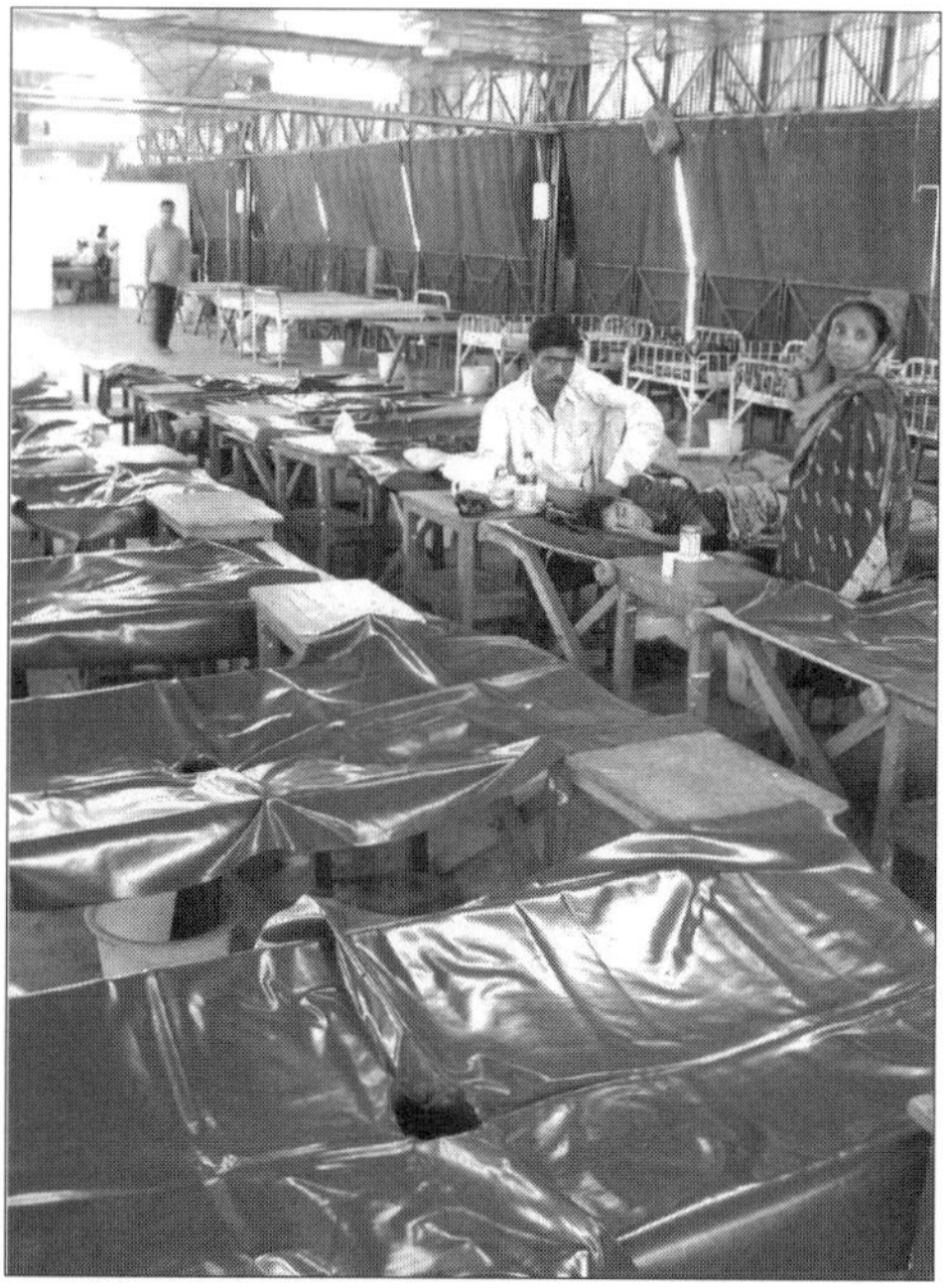

コレラ対策がなされた病院の様子。激しい下痢に対処するため、ベッドの中心に穴があいている。（2005年・バングラデシュ）（©Mark Knobil）

コフスキーが犠牲になった。ロシアのレストランでネヴァ川の水を注文し、それを飲んだ4日後にコレラによる脱水症状で死亡したと伝えられている。

激しい下痢と脱水症状により死に至る

コレラは、コレラ菌が口から体内に入ることによってかかる病気だ。コレラ菌に汚染された水や魚介類、野菜や果物など、しっかりと加熱されていない生ものを食べることで発症する。

口にしたコレラ菌が少量なら胃酸で死滅してしまうが、大量に体内に入ると、胃で死ななかった菌が小腸にたどり着く。そして小腸に定着したコレラ菌は増殖してコレラ毒素を出し、激しい下痢や嘔吐を引き起こすのだ。

下痢は腹痛などの前ぶれもなく、突然激しくお腹がゴロゴロ鳴り出すことから始まる。１日に20～30回も水のような下痢が続き、脱水症状になって血圧が低下し、筋肉のけいれんを起こして死に至ってしまう。

現在では経口補水液を飲んで脱水症状を抑えることで回復できるし、重度の脱水状態になった場合は点滴で対処する。２０１７年の世界的な致死率は０・５％程度になっている。

たび重なるパンデミックによって、欧米各国では水道水の衛生管理が見直されて大流行することはなくなったが、安全な水が手に入らない途上国では今でも毎年コレラによる死者が出ていて、多い年は10万人を超える。

現在は、コレラは**国や地域による格差を象徴する感染症**となっているのだ。

歴史の流れ

インドの風土病がイギリスの貿易船により世界に拡散する

▼

世界中で7度のパンデミックを引き起こす

▼

途上国では今も死者が出ており格差を象徴する感染症となる

テロに使用された病原菌
炭疽菌《たんそ》

エボラ出血熱よりも高い致死率

炭疽菌は自然界の土壌に数多く存在している菌のひとつで、季節を問わず、世界中のどこにでもいる。しかし、だからといってヒトや動物と安全に共存できているわけではない。

炭疽菌はほんのわずかでも体に入ると甚大な悪影響をもたらす。ヒトや犬、豚は多少の抵抗力を持っているが、牛などは簡単に死に至ってしまうのだ。

炭疽菌によって起こる炭疽症はおもに3種類ある。皮膚の傷口から侵入する「皮膚炭疽」と、感染した動物の肉を食べて感染する「腸炭疽」、そして芽胞《がほう》という胞子のようなものを吸い込んで感染する「肺炭疽」だ。

この中でもっとも怖いのが、最後の**肺炭疽**だ。なにしろ感染を放置した場合、**致死率は90％以**

上だという。致死率が25〜90％と非常に高いことで恐れられているエボラ出血熱以上なのである。

しかも炭素菌は、厳しい環境のもとでも簡単に死なず、かなりの長期間にわたって生きることができる。

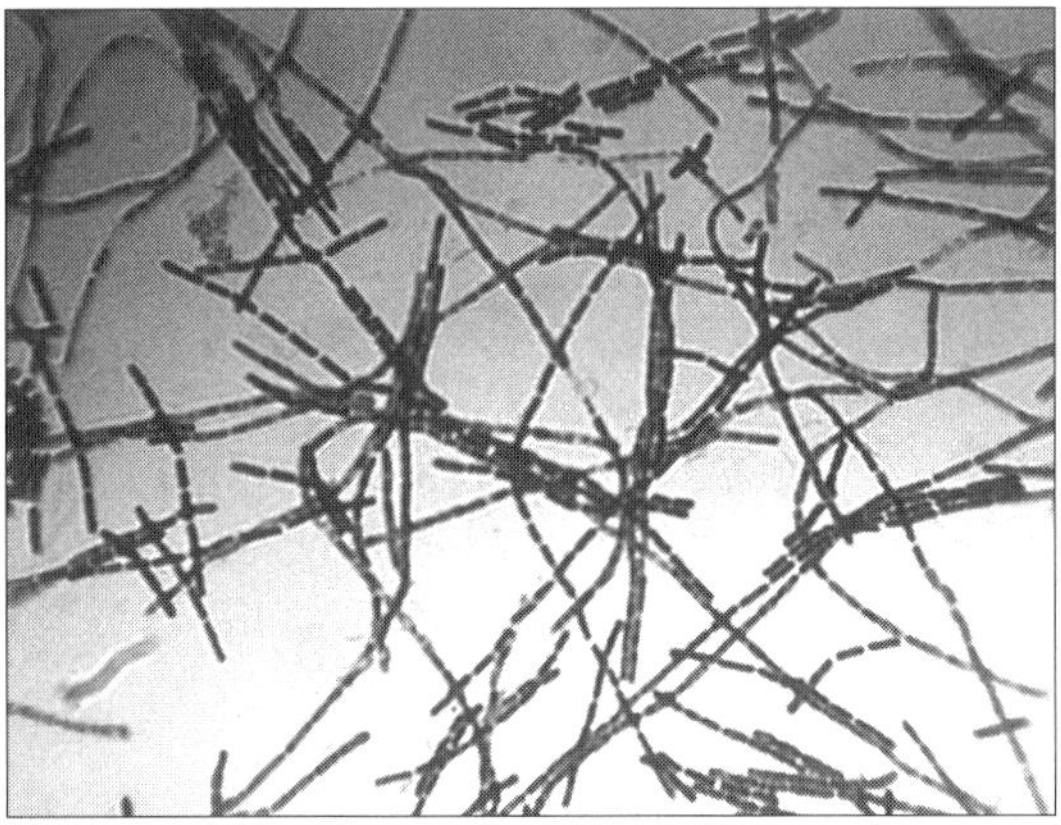
炭疽菌の顕微鏡写真

炭素菌は増殖できない環境に置かれると、何重もの膜に覆われた芽胞という状態になる。そうなると、どんな高温や低温、乾燥、紫外線にさらされようと、消毒剤や薬剤を散布されようと、死滅することはない。じっと長期間休眠し続ける。そして、ヒトや動物の体に入るや目を覚まし、体内の栄養分や水分で増殖していくという性質を持った菌なのである。

じつは近代の医学は、この炭疽菌の発見で幕を開けたといわれている。

マラリアや腸チフス、コレラ、梅毒などの感染症の病原体は、19〜20世紀に発見されたのだが、その第1号となったのが炭疽菌なのだ。

病原性細菌と炭素症の関係を証明したのはドイツの医

パスツールは、毒性を弱めた炭疽菌を動物に注射することで予防ワクチンの概念を確立した。（フランスの雑誌より）

師ロベルト・コッホで、１８７６年に光学顕微鏡で観察し、突き止めることに成功した。

その５年後にはフランスの細菌学者ルイ・パスツールが炭疽菌を弱毒化したワクチンを開発する。こうして炭疽菌制圧のための第一歩が踏み出されたのだ。

各国が生物兵器として開発を試みる

ところが、炭疽菌が人の手でコントロールできるようになると、今度は人の命を奪うための方法が模索されるようになる。２度の世界大戦中に、多くの国が炭疽菌を**生物兵器として使うための研究**を行ったのだ。

病原体を兵器として使用するためには、次の４つの条件にできるだけ当てはまることが求められる。短期間で致命的な感染症を引き起こす物質であること、ワクチンや治療薬があること、ヒトからヒトに感染しないこと、そして兵器として使った後の環境がすぐに修復できることだ。

これらの点を考慮すると、致死率が高く、ワクチンも開発されていて、ヒトからヒトへ感染しない炭疽菌は理想的な素材に見えたのだろう。

ところがいざ開発を始めてみると、不都合な点が発覚した。戦争中、イギリス軍はスコットランドの無人島で炭疽菌爆弾の実験を行っていたのだが、炭疽菌が撒《ま》き散らされた土地は除染しても簡単には元に戻らないということがわかったのだ。

地面に落ちた炭疽菌は**半永久的に芽胞の状態で残り続ける**ため、その土地は感染のリスクが非常に高くなる。そうなると、せっかく敵国の領土を手に入れたとしても使い物にならない。結局、実験が行われた島は48年間放置され続けた。

１９９０年になってようやく島に立ち入ることが可能になったが、いまだ汚染されていることには変わりなく、今も無人島のままになっている。

さらに、感染を防ぐためのワクチンの効果も1年ほどしか効果がないなど十分ではないことが判明した。敵だけでなく自国の兵士にとっても脅威となる兵器だったため、実戦で使われることはなかったのである。

だが、近年になって、炭疽菌はまた新たな方法で利用される

炭疽菌実験の後、放置されているグリュナード島。
（©Kevin Walsh）

米陸軍研究施設で開封された炭疽菌入りの手紙。（写真提供：AFP＝時事）

ことになった。バイオテロの道具としてである。

アメリカ同時多発テロ直後に起きたもうひとつのテロ

ニューヨークのマンハッタンにそびえたつ超高層ビルが旅客機に激突されて崩れ落ちる――。２００１年9月11日に起きたアメリカ同時多発テロの映像は、世界中の人々を震撼させた。

その衝撃が生々しく残る1週間後の18日と、翌月9日にも、アメリカ各地で新たなテロ事件が起きた。大手メディアや上院議員のもとに、粉末が入った容器が封入された封筒が送られてきたのだ。

そして、この封筒を開封したテレビ局の職員や郵便局員など22人が発症し、そのうち**5人が死亡**した。容器の中身は炭疽菌だった。

この事件を受けて、アメリカ疾病予防管理センターは今も炭疽菌を**兵器として利用される危険度がもっとも高い病原体**として分類している。

また日本でも、オウム真理教が炭疽菌を撒き散らす事件を起こしている。

アメリカ同時多発テロの8年前、教祖である麻原彰晃（本名・松本智津夫）は炭疽菌を使った無差別テロを命じ、信者らがそれを実行した。東京の亀戸で1993年に起きた2度の異臭騒ぎがそれである。

のちの調査によって、菌の培養に失敗していて、噴霧装置も不完全だったために計画は失敗に終わったことが分かっているが、一説ではアメリカのテロに影響を与えたともいわれている。

炭疽菌自体はコントロールできるようになったとはいえ、扱う側の人がその気にさえなれば、大きな脅威となる可能性があるのだ。

歴史の流れ

19世紀に炭素菌が発見されワクチンが開発される

▼

世界大戦中に各国が生物兵器を開発するが失敗する

▼

バイオテロに利用され死者を出す

モロッコの砂漠を行くキャラバン隊

4章

人をとりまく環境の異変

日本の政治・経済を大きく変えた

養和の飢《き》饉《きん》

『方丈記』に描かれた惨状

ゆく河の流れは絶えずして、しかももとの水にあらず。よどみに浮かぶうたかたは、かつ消えかつ結びて、久しくとどまりたるためしなし――。

この有名な書き出しで始まるのが鴨長明の『方丈記』だ。この書は人の世の無常感を描いた名作だが、一方で当時の災害の記録史としての一面も持っている。

この作品が成立したのは１２１２年だが、この頃、日本は源平の争乱により風雲急を告げていた。同じころ、地震や異常気象が続き、市中では慢性的な飢饉が起こっていた。『方丈記』は、長明が身の回りのことを記すことで、災害が多い時代の空気をも書き残したのだ。

『方丈記』には地震や台風、火事など数々の災害が記されているが、その中でもひときわ描写が

『餓鬼草紙』に描かれた飢餓の様子（国立国会図書館蔵）

悲惨なのが、平安時代末期の1181年から翌年にかけての養和年間で起きた「養和の飢饉」だ。

日照りと洪水が飢饉を招く

飢饉の多くがそうであるように、養和の飢饉においても、始まりは**天候の異常**だった。

1181年の春と夏には日照り、秋と冬には台風や洪水などが起きた。穀物の種をまいても、それを収穫することができない。

天候不順は京に限ったことではないため、田舎から食物を送ってもらおうとしてもいっこうに届かない。

食べ物は底を尽き、家財道具を売り払ってもわずかな食料しか手に入らないという状況になり、街中に物乞いが増えて、愁《うれ》い悲しむ声が満ちていく。

食糧事情が悪くなれば、人々の健康は脅かされる。

日照りや洪水といった天災もあり、街中の衛生状態は極端に悪化した。

そこに追い打ちをかけたのが**疫病の流行**だ。

水もなく食料も乏しい状況では、病にかかっても体を清めたり栄養を摂ったりすることもできず、ただただ命が絶えるのを待つしかない。身なりの良い人であっても動ける者は物乞いをして歩くありさまで、人々が行き詰まっていく様子は『方丈記』に「小水の魚のたとえにかなえり」と記されている。まるで水が干上がって苦しみあえぐ魚のようだというのだ。

力尽きた人々はよろよろと歩いて、いきなり道端で倒れて死んでいった。死んだ母親のそばで、幼い子供が乳房に吸いつきながら眠っているような様子も描写されていて、その被害がどれほど甚大だったのかを想像させる。数えきれないほどの死者を荼毘《だび》に付すこともできず、人々は死臭が立ち込めるなか、腐っていくのをただ放置するしかなかった。

平家の隆盛と源氏の不満

この頃、日本では平家が隆盛を誇っていた。

平家といえばまっさきに平清盛を思い出す人も多いだろうが、平家隆盛の先駆をなしたのは、清盛の父である平忠盛だ。忠盛が宋との貿易に目をつけ、その子の清盛が神戸や博多などに港を

右：清盛が扇で夕日を差し戻そうとする様子を描いた絵画（月岡芳年画）
左：宋銭（©As6022014）

整備して規模を拡大するという親子の連携によって、貿易による莫大な利益が平家のふところに入った。この資金が平家の繁栄の下支えをすることになる。

なかでも重要な役割を果たすことになったのが**「宋銭」**だ。

当時の日本ではまだ貨幣の使用が定着していなかった。そこに平家は、宋で使用されていた宋銭を持ち込んだのだ。しかし、これには公家や荘園領主などから強い反対があった。当時の社会では絹や米が貨幣の代わりのような役割をしていたが、そこに宋銭が入ってくると、パワーバランスが崩れかねない。彼らは、宋銭に反対することによって、旧来の既得権を守ろうとしたのかもしれない。

そんなときに京の平氏をおびやかす存在として勢力を増していたのが、東国の源氏の勢力だ。

あまりにも平氏が権力を独占したことに対する不満

壇ノ浦の戦いによって平家は滅亡した。(『源平合戦図屏風』部分)

から、しだいに反対勢力が結集し始める。養和の飢饉が起こったのは、そのような時代だったのだ。

武家政治の始まりと経済の変化

飢饉により生活が困窮したことで、市民の間には政治への不満がしだいにたまっていった。

しかも、養和の飢饉が起きる直前に、時の権力者だった清盛が突然の死を遂げたのである。市民生活の大混乱と相まって、政治の世界も風雲急を告げる事態となっていたのだ。

平氏の足元が揺らぎ始めると、それに乗じるかのようなタイミングで、源氏の勢力が兵を挙げた。その中の一人である源頼朝は、のちに征夷大将軍になり、初の武家政権である鎌倉幕府をつくり上げた。武家政治の始まりである。

飢饉がもたらした被害が、平氏が治めていた京の情勢を混乱させ、その期に乗じた頼朝の働きによって、**社会の中心が貴族から武士へ**と変化していったのである。

また、貨幣についても変化があった。宋銭の使用については反対派の抵抗がしばらく続いたが、やはり便利だったことから民間での普及が進み、結局、鎌倉時代に宋銭の利用が公式に認められることになる。

ちなみに、宋銭は日本以外の国でも多く使用されていた。中国大陸にあった西夏や遼、また現在の韓国やベトナム、インドネシアなどでも出土している。当時のアジアの一部地域において、宋銭は国際通貨だったと言えるが、その大きな流れに日本も組み込まれていたのだ。

養和の飢饉は、世界の動きと連動するような形で、結果的に日本の政治・経済を大きく変えたのだ。

歴史の流れ

平家が繁栄し 源氏の勢力などが 不満を持つ

▼

養和の飢饉により 4万人以上が 餓死する

▼

源氏勢力が 平家を滅ぼし 社会が大きく変わる

産業革命の頃から続く
ロンドンスモッグ

石炭の排煙を閉じ込めた逆転層

霧の都ロンドンで、霧が原因で死者が出た——。何やらミステリーじみているが、じつはこれは「ロンドンスモッグ」と呼ばれる環境汚染による公害事件だ。

1952年12月、高気圧に覆われたロンドンには冷たい霧が一面に発生した。市民たちは暖をとるためにストーブを焚《た》き、燃料である石炭を大量に燃やした。

このとき、地上付近の気温は0度以下、霧が発生した状況で、ロンドン上空はほぼ無風だった。通常、高度が上がるほど気温は低くなるが、真冬の高気圧に覆われた晴れの日には放射冷却によって地表付近の気温が下がり、上空よりも地表の気温が低いという現象が起きる。その際にできる

ロンドンのトラファルガー広場の中心にある記念柱。左は1952年、右は2004年。（右：@ N T Stobbs/CC BY-SA 3.0）

温度の低い空気の層は「逆転層」と呼ばれ、その中では風もなく空気が滞留しやすくなる。

12月5日頃のロンドンでは地上60～90メートルのあたりに逆転層ができて、市民たちが燃やした石炭の煙がそこに充満してしまったのだ。

死者は次の年の4倍

スモッグとは、スモーク（煙）とフォグ（霧）からできた造語で、大気汚染物質でできた霧を指す。

12月5日に大量のスモッグが発生したロンドンでは、午後になると空が黄色くかすみ、**腐敗した卵のような悪臭**が漂い始めた。視界が悪くなって車の運転ができなくなったり、劇場では舞台が見えなくなってオペラの上演が中止になったほどだったという。

それほどの濃いスモッグがたち込めれば、当然人間

1847年の新聞に掲載された木版画。たいまつの明かりがないと通りを横切ることもできなかった。（写真提供：GRANGER/時事通信フォト）

も無事ではすまない。

当時の記録によれば、それまで1日300人ほどで推移していた死者の数が、スモッグの発生で最大900人ほどに膨れあがった。12月9日までに入院した人の数は15万人にものぼり、**最終的な死者は1万2000人**ともいわれている。

5日ほどして天候が変わると逆転層がなくなりスモッグも消えたが、その影響は残った。1952年の冬の死者数は、翌年の冬と比べると4倍という異常値を示したのである。

当時のイギリスでは死者の急増をインフルエンザの影響と考えていた。なぜなら、産業革命以降のロンドンでは周囲がかすむほどのスモッグは日常茶飯事であり、市民たちはそれが異常事態であることに気づかなかったのである。

産業革命以来の大気汚染を解消する取り組み

産業革命によって石炭の使用が増大すると同時に、各国では大気汚染という問題が発生した。14世紀のイギリスでは、すでに市民が不快に思うほど大気は汚れており、1306年には職人が炉で石炭を焚くことが禁じられたほどだった。つまり、ロンドンスモッグ事件が起きるまで、**何世紀にもわたってロンドンの大気汚染は進んでいた**のである。

1万人以上の死者を出すという悲惨な公害事件が起きたことで、イギリス政府は1956年と1968年に大気浄化法を制定した。工業用のみならず、石炭を使った家庭用暖炉の使用も禁止している。その結果、大気の状態は徐々に改善していったものの、いまだにロンドンの大気汚染のレベルは深刻であることも事実である。

イギリスで産業革命が始まる

▼

周囲がかすむほどのスモッグが日常的に起こる

▼

大気汚染により1952年には1万2000人が死亡する

世界第4位の大きさの湖に起こった悲劇
アラル海の消滅

広大な湖が消えた？

2020年初頭から始まった新型コロナウイルスの感染拡大は、世界中の経済活動を滞らせた。しかしニュースを見ると、そのことが悪い方にばかり影響したわけではなかったことがわかる。キーワードは「環境の改善」だ。中国の大気汚染は著しく改善し、インドでも空気が澄んだおかげで都市部からヒマラヤが見え、イタリア・ヴェネツィアの運河の水は澄み渡り、魚やイルカが泳ぐようになった。人間の活動が環境にいかに負荷をかけているかがストレートに伝わる。

人間が環境を破壊するというエピソードを数え上げればきりがないが、史上最悪の環境破壊のひとつとして「アラル海の悲劇」が挙げられる。

アラル海はウズベキスタンとカザフスタンに広がる塩湖で、かつては世界第4位の湖水面積を

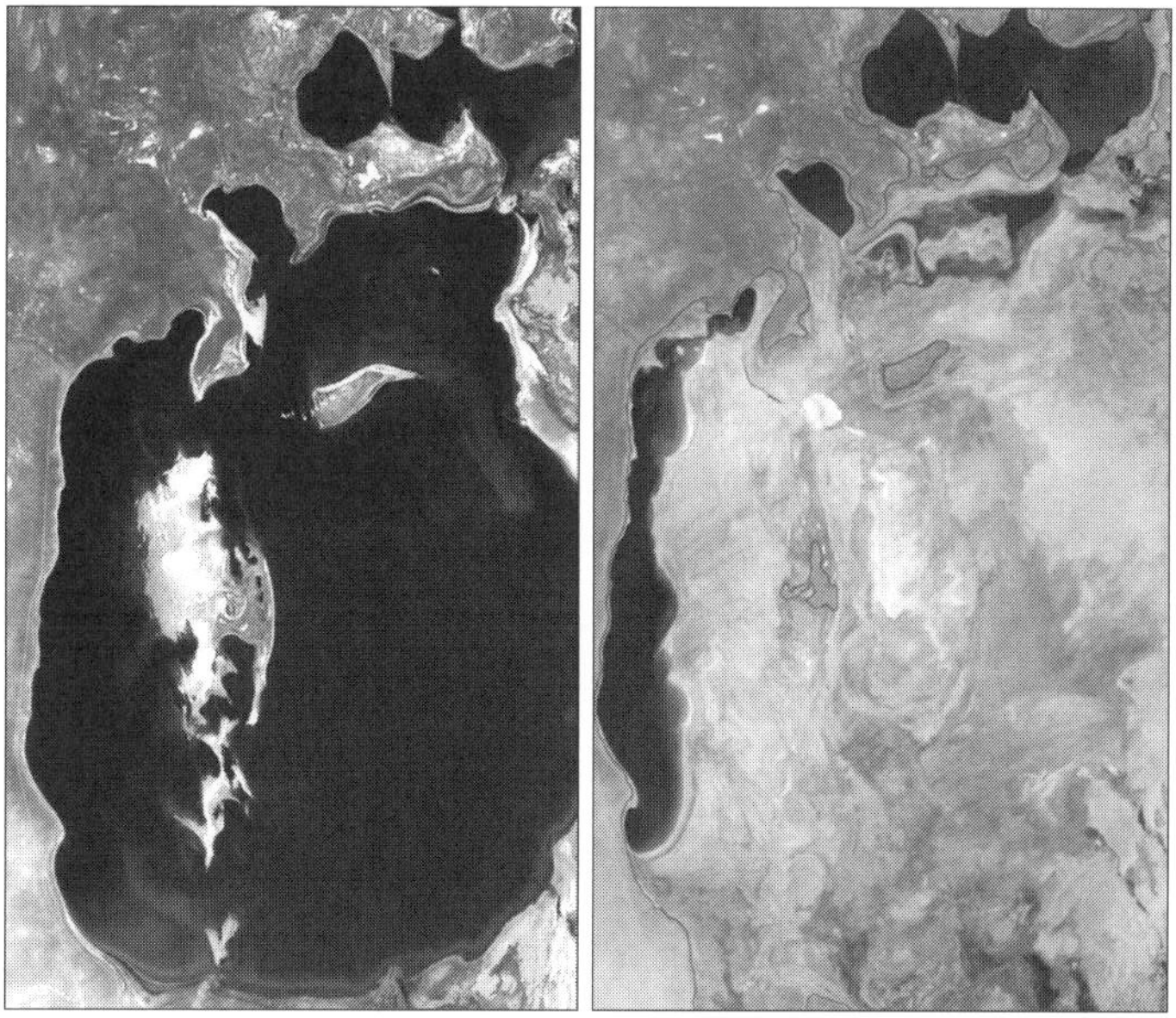

1984年（左）と2014年（右）に撮影されたアラル海

誇っていた。

しかし2014年に、その広大な湖がほぼ消滅したというニュースが飛び込んできた。しかもその原因が、大規模な日照りなどではなく、**人為的なもの**であったことがその衝撃に拍車をかけたのだ。

かつてはシルクロードの繁栄を支えた水源だった

かつてのアラル海は、水資源と生態系において、とても豊かな湖だった。中国とヨーロッパを結ぶシルクロード沿いに住む人々の生活を支え続けていたのだから、人類の発展に大きな役割を果たしてきたと言っても過言ではないだろう。

近年になっても、1960年頃までのアラル海はサケやチョウザメなどの在来種、さらには多くの外来種が放流され、年間5万トン前後の漁獲量があった。湖の周辺に住む漁民の数は最盛期で2000人にものぼり、さらに水産加工業に携わる人々も多く、その恵みが多くの人々を潤していたのだ。

ソ連の灌漑事業で水量が大幅に減る

アラル海の消滅を引き起こした大きな原因は、第二次世界大戦後に行われた、ソ連の農地拡大による灌漑《かんがい》事業である。

乾燥地帯であった土地に水を引いて農地にするため、ソ連はアラル海に流入する2本の河川の水を使用することにした。キルギスの山地からウズベキスタンを通ってアラル海に注ぐシルダリア川と、タジキスタンのパミール高原からトルクメニスタンを通ってからアラル海に注ぐアムダリア川である。

この2つの川は、古くから周辺流域の農業用水として利用されてきた大河だった。しかし、ソ連の農地改革による利用量は一気に膨れ上がり、水力発電などにも使用されるようになる。

国連環境計画によれば、1960年から約50年間で灌漑農地は1・8倍に増加した。それと同

かつて水面だった場所に取り残された船の残骸

時に、アラル海に流入する水量は5分の1以下になってしまったのだ。

　2つの大河からの流入量が激減したことで、アラル海の水量は著しく減少していった。それにつれて生態系も悪化していき、漁獲量は減っていく。漁民たちは生活が立ち行かなくなり、村を捨てる人が相次いだ。カザフスタンとウズベキスタンを合わせると、故郷を追われた人の数は数万人規模になるといわれる。

　かつてのアラル海の面積は、日本の東北地方とほぼ同じ大きさだった。それが今では**10分の1にまで干上がってしまい**、周辺には、乾燥した砂に埋もれた漁村の跡地が点々と広がっている。

砂がもたらす健康被害

　かつて湖だった土地に残った「砂」も、深刻な被害

砂漠化した湖底から舞い上がった物質は近隣の人々の疾患を誘発した。
（@ Phillip Capper）

を周辺地域にもたらすことになる。

干上がったアラル海の湖底には大量の塩分を含んだ砂が残されている。これが風で舞い上がり、周辺の国に吹きつけているのである。

砂漠化した湖底から激しい風に乗って運ばれてくる砂は、砂丘ができるほど大量だった。空気は砂嵐でかすみ、地面は黄土色の砂に覆われる。

その結果、人間の呼吸器や消火器に大きな悪影響を与え、**ぜんそくや内臓疾患を訴える住民が激増**したのだ。

現在までに砂はあらかた吹き飛んでしまったという調査もあるが、その被害は深刻で、１９９６年から２００５年に病院で診察を受けたすべての子供の呼吸器や消火器に何らかの症状が見つかったという報告もあるほどだ。

大アラル海の水位回復は困難

かつてはひと続きの大きな湖だったアラル海は、現在、大アラル海と小アラル海の2つに分かれている。北側の小アラル海では、少しずつではあるが環境改善の道が探られている。世界銀行などの支援によって堤防が設置され、水の流出を防ぐ試みが行われて、水位が上昇しているのだ。水量が増えるにつれて魚が戻ってきて、漁業も再開された。一時は故郷を捨てた人々も戻り、盛時のようにはいかないが、再びアラル海の恵みによる生活を始めている。

一方で、大アラル海は南側の大きな面積を占めているが、そのほとんどの部分に水はなく、西側に一筋の水域を残すのみだ。その**水位の復活は絶望的**だという見方もあり、航空写真に映し出されるその姿は、環境破壊の悲惨な例としてしばしば取り上げられている。

歴史の流れ

世界第4位の面積を持つ湖が周辺の住民たちの生活を潤す

▼

ソ連の灌漑事業により水量が大幅に減る

▼

湖はほぼ消滅し回復の見込みもない

史上最悪の事故になった原子力発電所の爆発
チェルノブイリ原発事故

詳細を知らぬまま避難させられた住民

1986年4月26日、当時ソ連の一部だったウクライナのプリピャチ市にあるチェルノブイリ原子力発電所4号炉が制御不能となり爆発・炎上し、14エクサ（エクサは10の18乗倍）ベクレルの放射性物質が大気中に放出された。これは、広島に投下された原子爆弾の500倍ともいわれる数字で、人類史上最悪の原子力発電所事故となった。

この事故によってウクライナ、ベラルーシ、ソ連を中心とした国々に放射性物質が降り注ぎ、原発の半径30キロメートル圏内は居住禁止区域となった。現在でもかつて人々が暮らした地に人影はない。

4月から5月の間には、**北半球のほぼ全域でチェルノブイリから放出された放射能が観測され**

事故発生から３日後のチェルノブイリ原発（写真提供：Avalon/時事通信フォト）

た。それほどの大事故であるにもかかわらず、ソ連が国際原子力機関（ＩＡＥＡ）に報告書を提出したのは事故の４ヵ月後だ。

事故の様子を目撃した人々の証言によれば、轟音とともに周囲が明るくなり、発電所の建屋が吹き飛ぶほどの激しい爆発だった。

ＩＡＥＡへの報告書には、半径30キロメートル圏内の住民は避難したと記載されているが、ソ連の汚染状況に関する報告はされず、避難を余儀なくされた周辺住民にも汚染状況は明らかにされることはなかった。

そのため、住民らは汚染された食べ物や飲料などから放射性物質を無防備に取り込んでしまい、放射線障害による被害者の数が膨《ふく》れ上がる結果となったとされている。

機密情報として厳重に隠されていたそのニュー

スが世界各国の知るところとなるのは、事故から3年近くたった1989年2月で、そのとき初めて詳細な汚染地図が公表されたのだ。

新シェルターが稼働しても廃炉は遠い

放射能汚染に関する深刻な事態が判明するにつれて、それまでの原発に対する安全神話は崩れ去った。各国で原発に対する反対運動が起き、夢のエネルギーとしてもてはやされた原子力発電は、危険と隣り合わせの存在になったのだ。

事故直後、コンクリート製の**「石棺」**に覆われた発電所だが、石棺内部には溶解した核燃料が約180トン残されている。核燃料は分裂を続けており、そのエネルギーは石棺を通しても周辺の放射線量が通常の50倍を超えるほどである。

さらに、事故直後に突貫工事のように設置された石棺の劣化が進んだ。もし石棺が崩壊すれば近隣に与える影響は甚大であり、EUや日本の支援を受けて、新しいシェルターを建設する工事が行われた。

2019年7月に稼働した鋼鉄製のシェルターは、石棺を覆うように作られており、100年は持ちこたえられる安全なものという触れ込みで正式稼働した。

新しいシェルター（©iStockphoto.com/Sybille Reuter）

しかし、シェルターはあくまでも応急処置に過ぎず、本当の意味での事故処理は、内部に残された核燃料を取り出して安全に管理することだ。

チェルノブイリ原発では内部に残された燃料があまりにも多く、すべての放射性物質を取り出して廃炉にするには途方もない時間がかかる。放射線量が高い現場では作業の効率も悪く、石棺の解体作業すらも予定通り進むとは考えにくいのだ。

周辺国では農業が再開される

チェルノブイリから遠く離れた場所であっても、その影響は深刻だ。周辺国の中でも特に汚染が深刻だったのがベラルーシで、放出された放射性物質は北向きの風に乗って飛散し、その約7割が降り注いだという。

たとえば原発から約１８０キロメートルも離れた

プリピャチ市内の廃墟となったアパート群を森が飲み込もうとしている。
(@ Jorge Franganillo)

チェチェルスクがホットスポットになるなど、その影響は広範囲におよんでいる。

ベラルーシの基幹産業は農業だ。事故による環境汚染は国家としての存続を危ういものにさせるほどのダメージがあった。

軍隊による土壌の剥ぎ取りが行われたものの、汚染地域があまりにも広かったため、1回だけに限られた。農地として使えるようになったのは2010年頃からだという。

時の経過だけが問題を解決するというのは何とも歯がゆいが、甚大な環境汚染に対して人間が打てる手は限られているのである。

豊かな自然と高線量の土地

発電所があるプリピャチ市は、現状では住民が帰還する目途はたっていない。事故から30年以上たっても、いまだに高い線量を記録する土地に人々が帰還するのはほぼ絶望的だとみられている。

事故当時の姿を残したまま住民だけがいなくなった一帯は、皮肉なことに世界有数の野生動物の繁殖地となっている。人間はとうてい住むことができない放射線量の高さにもかかわらず、オオカミやヘラジカ、イノシシ、クマ、オオヤマネコ、シカなどの大型の哺乳類が繁殖し、**野生動物の楽園**となっているのだ。

草木が生い茂り、生き物が繁殖し、豊かな土地に生まれ変わったように見えても、一歩足を踏み入れれば放射線計の警告音は鳴り止まない。

現在のチェルノブイリ周辺の写真に映る景色が自然豊かであるほど、うすら寒く見えてくるのである。

歴史の流れ

チェルノブイリ原子力発電所で事故が起こる

▼

高濃度の放射性物質により人間が制御できない世界となる

▼

野生動物は増えたが住民の帰還はほぼ絶望的

開発によって危機に陥る
アマゾンの森林伐採

世界有数の豊かなジャングルの危機

アマゾンの熱帯雨林は、550万平方キロメートルにおよぶ世界最大のジャングルで豊かな自然の代名詞であり、多種多様な生物の生息地となっている貴重な場所だ。

全長約7000キロメートルにもなるアマゾン川とその支流である多くの川は、太古の時代から広大なジャングルを育んできた。流域面積は700平方キロメートルで、世界の淡水量の15％にあたる。

生息している生物種の豊かさも世界屈指であり、いまだに人間が発見していない生物種が無数に存在するという。世界自然保護基金（WWF）が発表した「アマゾンの新種の脊椎動物種・植物種　2014-2015」では、2014年から2015年の調査によって、216種の植物、

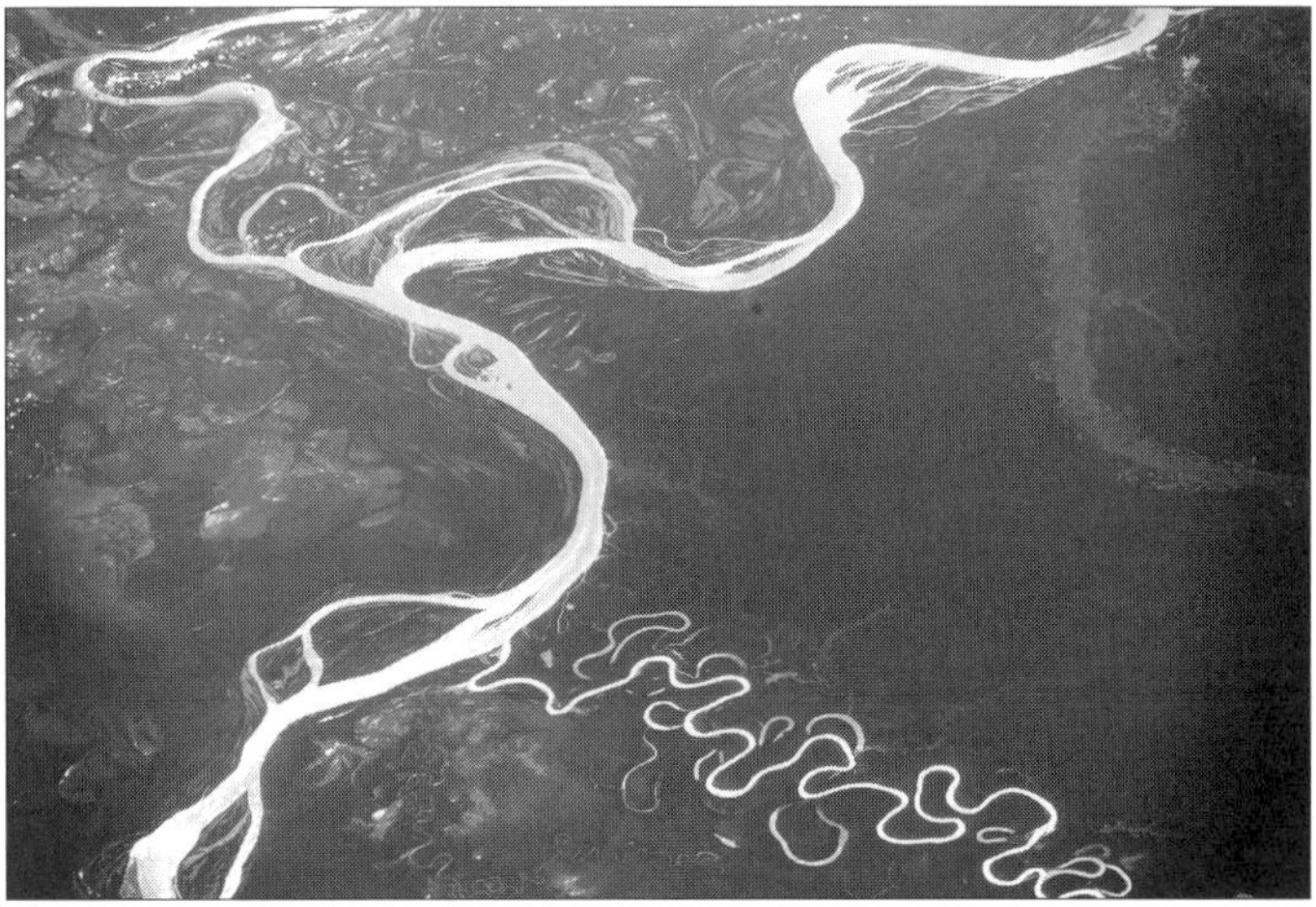

国際宇宙ステーションから見たアマゾン川（2018年）（@ Alexander Gerst/CC BY-SA 2.0）

93種の魚類、32種の両生類など、計381種の新種を発見したことが報告されている。

一例を挙げると、ピンク色のカワイルカや、背中に蜂の巣の模様があるエイ、オバマ元アメリカ大統領の名にちなんだ学名がつけられた鳥など、そのユニークさでも人々に夢を与えてくれる生物の宝庫だ。

しかし近年では、アマゾンがニュースになるのは、その多くが**自然破壊**というテーマのときだ。

土地を追われる先住民族

アマゾンは南米大陸の9ヵ国にまたがっており、なかでも約60％の面積を保有するのがブラジルだ。

1940年代に、ブラジル政府によってアマゾン開発計画が始まり、1960年代になると調査研究のために次々と道路が建設されるようになった。

近年のエネルギー需要に応じて、アマゾン川流域には100を超えるダム建設計画がある。写真は建設中のベロモンテ水力発電ダム群のひとつ。（@ Pascalg622）

１９８８年に観測が始まってから２０１８年までの間に、42万平方キロメートルもの面積の森林が失われた。これは**日本の国土の1・1倍**にあたる。どれほどの速度で森林が消失しているのかがわかるだろう。

これらの変化は、アマゾンと共存して生きてきた先住民族たちの暮らしにも深刻な影を落としている。

現在、ブラジルには80万人以上の先住民族が暮らす約５００の保護区があるが、そのほとんどはアマゾンに位置する。

１５００年代にポルトガルによってその存在が発見された当時、ブラジルには１００万から３００万人の先住民が暮らしていたとされる。

しかし、ダムや道路の建設、農地の開発や森林伐採が進むにつれて彼らは土地を追われ、一説では現在20万人程度に激減したといわれる。

また、アマゾン川の砂金採掘の際に使用される金

ブラジル北西部の熱帯雨林で撮影された先住民族（2012年）（Gleilson Miranda/Secretaria de Comunicação do Estado do Acre）

属水銀の被害や、外部社会との接触による疫病の流行などによっても、先住民族たちを取り巻く状況は悪化している。開発業者などによる先住民族の虐殺事件さえ頻発しているのだ。

アマゾン川流域の森林には、一度も文明と接したことのない**「非接触部族」**と呼ばれる人々が今も孤立した生活を営んでいる。開発業者にとっては、彼らは仕事を妨げる邪魔者にしか見えないのかもしれない。

森林破壊は過去最悪のレベル

国際社会も遅まきながらアマゾンの保護に動いている。

じつはアマゾンには熱帯雨林を守るための国際的なルールがあり、アマゾンに農地を設ける場合は、その80％の森林を残さなければならない。

上：アメリカバク（@ Charles J Sharp/CC BY-SA 4.0）
下：ゴールデンライオンタマリン（@ Steve/CC BY-SA 2.0）

その保護が適用されるのは、アマゾンとその周辺のセラード（熱帯草原）からアマゾンに移り変わる地帯で、その地域を「法定アマゾン」としている。

このルールにもっとも影響を受けるのがブラジルで、その国土面積の約60％が法定アマゾンとなるため、開発と自然保護の両立は国家的なテーマになっている。

裏を返せば、アマゾンの保護はブラジルの動向に大きく左右されるのだ。

しかし、２０１９年にブラジルでボルソナロ政権が誕生すると事態は悪化する。経済発展を掲げるボルソナロ大統領のもとでジャングルの破壊が進み、森林破壊は過去10年で最悪のレベルに達した。

ブラジル国立宇宙研究所によれば、2019年7月までの1年間で、前年同期比で29・5%増の森林が破壊され、その面積は9762平方キロメートルにもおよんだという。

森林破壊が進んだ結果、**多くの生物が絶滅の危機にさらされている**。

ジャガーやオオカワウソ、アメリカバク、ミツユビナマケモノなど希少な動物たちが住処を追われ、ゴールデンライオンタマリンは生息域の9割が消滅しているという。

さらに、**森林火災**の数が年々増加している。木々の伐採などによる環境の悪化が、ときに軍隊を動員しても消火に手間取るほどの大規模な火災を引き起こすのだ。そのうえ、森林を農地化するために農民たちが森を焼き払うことが、森林火災の発生に拍車をかけている。

これからも今までのような経済活動が続けば、アマゾンの森林伐採が加速していくことは想像に難くない。アマゾンの砂漠化は現実味を帯びてきているのだ。

歴史の流れ

1940年代にアマゾンの開発が本格的になる

▼

先住民は土地を追われ野生動物は絶滅の危機に

▼

砂漠化が懸念されるほど森林伐採が進む

深刻な食糧危機を誘発する

バッタの大量発生

サバクトビバッタ

古代から続くバッタの大量発生

近年、おもにアフリカに降りかかっている深刻な問題がある。空一面を埋め尽くすほどの虫の大軍が飛来し、農作物に甚大な被害をもたらしているのだ。

その虫は、**サバクトビバッタ**だ。

サバクトビバッタは過去にもたびたび大発生していて、アフリカ、アジア、中東などの国々に被害を与えてきた。

じつは人類は長い間、このような被害に遭い続けている。

古くは聖書の「出エジプト記」に、神がエジプトにもたらした

虫の大量発生とその被害を描いた絵画（ヴァルヴァソル画）

10の厄災のひとつとしてサバクトビバッタの襲来が記されている。

中国でも、殷《いん》時代の甲骨文字に記録があるという。殷といえば、紀元前17世紀頃から紀元前1046年まで続いた王朝だから、人々は虫による被害とともに生きてきたと言っても過言ではないかもしれない。

もちろん日本も例外ではない。1880年年代の北海道での大量発生から、1970年代の沖縄での大量発生まで、枚挙にいとまがない。

5日おきに産卵し群れが膨れ上がる

アフリカで大量発生するサバクトビバッタは、驚異的な繁殖力を備えている。

通常では大群をつくって行動したり、生息地から移動することはないのだが、長期間雨が降り続くなどの繁殖しやすい条件が重なると、自然と群れができ、その中から特に食欲旺盛で長距離移動が得意で、しかも好んで群れをつくる個体が発生するのだ。

そして、約5日おきに50から100個の卵を産む。それが孵《かえ》ると、親個体の特性を引き継いだ群れを好む成体に成長する。こうして周辺の食料を食い荒らしながら産卵を繰り返し、群れは膨れ上がっていくのだ。

バッタの食べ尽くしによって発生する人間の食糧危機

サバクトビバッタの群れは、行く先々で土地の作物を食い荒らす。1平方キロメートルあたり4000万匹ともいわれるサバクトビバッタが1日で食べ尽くす食料はじつに3万5000人分にもなる。

2020年に入ってからアフリカで発生したバッタの数は、推定で数百億〜1000億という、途方もないものだ

2月2日、ソマリア政府はサバクトビバッタの大発生によって食糧危機に瀕しているという緊急事態を宣言した。これを受けて国連の食料農業機関（FAO）は、ソマリアでは70年に一度、

隣のケニアでは25年に一度の規模のサバクトビバッタの被害であるとして**緊急事態を宣言**している。そして3月後半の大雨の影響で、第一波の20倍もの数のサバクトビバッタが東アフリカで発生したのだ。

前回のアフリカにおけるサバクトビバッタの大発生は１９４８年に始まり、制御不能に陥ったあげくに63年まで終息させることができなかった。そのため、甚大な規模で食糧危機が起こり、アフリカを中心に多くの人々が命を落とす結果となったのである。

パレスチナでの被害の様子（1915年）

なぜ大量発生するのか？

サバクトビバッタ大発生の条件は、湿潤で温暖な気候だ。

アフリカの多くの土地は乾燥しているが、雨季になると草が生えてくる。その草に、風に乗って旅をしてきたバッタが卵を産むのだが、草は１ヵ月程度で枯れてしまう。

しかし長雨が降ると草が枯れないため、

ケニアでの農薬散布の様子（2020年６月）（写真提供：AFP＝時事/LUIS TATO/FAO/AFP）

バッタは旅をせず、数世代にわたって一箇所にとどまって繁殖を続ける。その結果、異常発生してしまうのだ。

このような状況は、近年の大雨などの異常気象や、地球温暖化によって簡単に発生してしまう。この状況をなんとかしなければ、毎年サバクトビバッタの大発生が起きる可能性は十分にあるのだ。

もちろん人間も手をこまねいているわけではない。バッタの大量発生を防ぐには、あらかじめ卵や幼虫の時期から監視して排除することが重要だ。ＦＡＯは蝗害《こうがい》対策チームを設置し、被害にあっている各国に対して殺虫剤散布のためのサポートを行っている。

しかし、タイミングの悪いことに**新型コロナウイルスの拡大**によって、国連加盟各国は資金も人的リソースも、自国の感染対策に最大限振り分けなくてはならない。そのせいでFAOに対する資金援助も減っており、蝗害対策チームの活動が十分といえる状況にはないのだ。

一度、大群が発生してしまうと、根本的な対策はないに等しくなる。初期の段階で食い止めるしかないのだ。そのため、新型コロナウイルス拡大の時期であっても、全世界で対策となる殺虫剤や噴霧器はなんとか流通経路を維持している。

ただ一方で、被害が発生している多くの地域がロックダウンの政策下にあったため、国連などの専門家が現地に入ることができなかった。そのため、被害の実情が明らかになってくるのはこれからだろう。

いずれにしても、サバクトビバッタが大量発生する要因となる温暖化を止めなければ、根本的な解決にはならないのである。

歴史の流れ

古代から人類は虫の大量発生に悩まされる

▼

深刻な食糧危機が起こる

▼

農薬を撒くなどの対策を継続中

ヴァシリー・ヴェレシチャーギン画『戦争の結末』

5章

人間同士の争い

人種差別を制度として認めていた
アパルトヘイト

アフリカの南端で争った白人の二大勢力

どれだけ時代を経てもなくならないのが人種差別である。生まれや肌の色が違うだけで差別が起こり、それが悲しい事件や戦いに発展した例は枚挙にいとまがない。

20世紀、アフリカ大陸の最南端に位置する南アフリカ共和国にも人種差別問題が存在した。それが「アパルトヘイト」である。

さかのぼればことの発端は、17世紀、ケープ植民地（現在のケープタウン）に**オランダ人が入植**してきたことだった。

アフリカ大陸の最南端という地理的条件はとても重要だった。植民地を世界中で獲得することが最上の命題だった帝国主義時代にあって、南アフリカは、アフリカ大陸の植民地としてはもちろん、次のターゲットであるアジアへの中継点にもなる、利用価値の高い土地だったのだ。

当時、海上交易の覇者であったオランダは、いち早く東インド会社によって植民地を設立し、日本の長崎との中継点としても活用していた。

ズールー戦争の様子

その後**イギリスが入植**してきたことによって、ケープ植民地では白人の二大勢力が存在することになった。
イギリスは、先住民だったズールー族と1879年に戦争状態に陥る。「ズールー戦争」と呼ばれたこの戦いでは手強いズールー族にかなり手こずったが、なんとか勝利する。その後、先住のオランダ系移民たちとも戦い、これにも勝利した。
その後、1910年にイギリスがすべてをまとめて成立させたのが「南アフリカ連邦」である。
しかし1948年、オランダ系白人が政権を掌握すると、事態は一変する。白人の入植以来くすぶり続けていた黒人差別が加速度的に進み、**人種を基準にした隔離制度**が次々と決められていったのだ。

白人とそれ以外を分ける看板。「このビーチは白人専用」と書かれている。
（©Ullischnulli（Ulrich Stelzner）CC BY-SA 3.0）

黒人に対する過酷な差別

まず、南アフリカに住む人々は、白人（イギリス系またはオランダ系白人にルーツを持つ者）、カラード（ヨーロッパからの移住者が現地人や黒人と結婚して生まれた子孫）、アジア人（おもにインド系）、黒人（先住民）に分類された。公共の場での居場所はこの分類によって明確に区別された。

カラードやアジア人に対しても窮屈な制度はあったが、黒人へのそれは比ではなかった。

鉄道車両やレストラン、ホテル、トイレ、ビーチなどでは白人専用のスペースが設けられ、そこに白人以外の人種が立ち入れば逮捕された。

また、土地の大半は白人が所有し、都市部の先住民だったはずの黒人は狭い居住区やスラムでの暮らしを余儀なくされた。異なる人種間の結婚はおろか恋愛も禁止、就業にしても真っ先に優遇されるのは白人である。彼らは安い賃金で黒人を雇用し、搾取することができた。黒人はそれに対する不服を申し立てる権利すら与えられなかったのだ。

しかし、人口比でいえばおよそ70%を占めていたのは黒人で、白人は15%ほどに過ぎなかった。

ヨハネスブルクの白人専用のバス（写真提供：時事通信フォト）

わずかな支配者層による黒人への差別を国が制度化するという事態には、国内でも大きな反発があったが、それらはすべて封じられた。

なぜかといえば、**白人以外は参政権を奪われてしまった**からである。つまり、白人以外は国民とみなされていなかったのだ。

なお、アパルトヘイトにおいて日本人はどういう立場だったかというと、例外的な「名誉白人」とされていた。というのも、南アフリカにとって日本はきわめて重要な貿易国だったからである。

また、黒人であってもアメリカ出身であれば白人と同じ待遇を受けることもあったし、アジア人でも国交のある台湾人などは白人と同等とみなされた。

こうした一貫性のなさをみても、この政策がどれほどご都合主義であったかがわかるだろう。

ソウェト蜂起から10年後のデモの様子（1986年）

差別の撤廃と肩身が狭くなった白人たち

しかし、このような状況は長く続かなかった。

１９６０年、アパルトヘイトへの抗議のデモ行進をした数千人の黒人たちに警官が発砲し、69人が死亡した**「シャープビル事件」**が起こった。

さらに１９７６年には、南ア白人の公用語であるアフリカーンス語を強制する政策に反発した黒人学生１万人と警察隊が衝突、死者１７６人を出す**「ソウェト蜂起」**があった。

これらによってアパルトヘイトの現実は世界の知るところとなり、南アフリカは国際的に大きな非難を浴びるようになった。

風向きが変わったことにより肩身が狭くなってきたのは白人たちである。国際社会では南アフリカにいる白人というだけで差別主義者のレッテルを貼られた。黒人たちの報復を恐れて、早々にヨーロッパやオーストラリアに移住する者もいた。

このような変化を経て、差別的な政策が撤廃されたのは１９９１年のことだ。政策の廃止を訴え続け、27年の間獄中にあった**ネルソン・マンデラ**が釈放されたのが1990年で、その翌年にアパルトヘイト関連法を撤廃へと導いた。そしてすべての人種が参加した初めての選挙で圧勝し、大統領に就任したのだ。その後、マンデラは同じくアパルトヘイト体制の解体に尽力したデクラークとともにノーベル平和賞を受賞している。

だが、今もなお南アフリカでは人種問題はデリケートなテーマのままだ。近年では、アパルトヘイトの負の遺産を清算するため、白人が所有する農地を黒人に再分配する土地改革を政府が推し進めているが、これに一部の白人グループが反発し、欧米の白人至上主義グループに接近する傾向もみられる。

廃止から四半世紀を超えたものの、問題の根本的原因は深々と根を張っている。アパルトヘイトはまだ完全に過去の話にはなっていないのだ。

歴史の流れ

白人の入植後黒人への制度的差別が始まる

▼

マンデラらによってアパルトヘイトが撤廃される

▼

いまだ根本的な解決には至っていない

植民地支配が生んだ悲劇
１００万人のジェノサイド

「分割して統治せよ」という植民地政策

アフリカにおいてもっとも悲劇的な事件のひとつが、１９９４年にルワンダで部族の対立から発展して起きた**大量虐殺**だ。国内の多数派であるフツは約１００日間にわたって少数派のツチへの殺戮を繰り返し、犠牲者は１００万人にのぼったといわれている。

なぜフツは、古くからの隣人だったツチに対して、これほどまでに激しい殺意を抱いたのか。

そのきっかけのひとつが、ルワンダを支配していたベルギーが１９３５年に始めた「身分証明書」の発行だった。

19～20世紀前半、ヨーロッパの列強国はこぞってアフリカの獲得に乗り出した。そして、そこで行われたのがアフリカの分割支配だ。それにより広大なアフリカ大陸のほとんどが、欧米の７ヵ

こん棒を持って行進するフツの武装集団と、並走する駐留フランス軍（1994年６月）（写真提供：AFP＝時事）

国に分割して支配されることとなった。

最初にルワンダを含むアフリカ東部の内陸を支配下に置いたのはドイツだったが、第一次世界大戦の敗戦で手放すことになり、その後ベルギーが手に入れた。

ベルギーは**「分割して統治せよ」**という植民地経営の原則にのっとって、ルワンダの一般大衆を２つの部族に分けた。

植民地の国民を分断して少数派に支配させれば、多数派は少数派への不満を募らせるが、大元である宗主国に批判の矛先が向くことはない。ルワンダではツチが支配する側、フツが支配される側になり、ベルギーから統治を委任されたルワンダ国王がツチをあからさまに優遇した。

当時は、ほかの列強国も同じ手法で植民地を統治していた。ただ、ルワンダでのベルギーのやり方はあまりにも作為的すぎた。

右：ルワンダの第２代大統領・フツ出身のハビャリマナ
左：同第５代大統領・ツチ出身のカガメ（© ВениМарковски/Veni Markovski/CC BY-SA 4.0）

見た目で判断して部族を分ける

じつは、ツチとフツは言語や宗教、文化などが共通していて、もともと部族間にはっきりとした境界はなかったという。にもかかわらず、ベルギー人は政策のために**見た目だけで判断**して、無理矢理ともいえる方法で両者を区別したのだ。

比較的身長が高く、唇が薄く、尖った鼻をしているなどの身体的特徴をもつのがツチ、一方で、アゴが四角くて唇が厚く、鼻が平らで身長が低ければフツとした。わざわざ鼻の長さなどを定規で測って、どちらの部族であるかを判断することもあったようだ。そのうえで属する部族がわかるように身分証明書を発行していた。

そして、全人口の約15％のツチ系住民を役人に登用して、その子供には教育を受けさせた。85％を占めるフツ系住民との間には当然、経済的な格差も生まれた。

ところが１９５９年になってルワンダ国王が後継者を残さずに死去すると、ツチとベルギー当局との関係が悪化する。国民を支配する側にいたツチが植民地支配に不満の声を上げ始めたのだ。ちょうど、アフリカの国々が欧米からの支配から独立しようという機運が高まっていたタイミングでもあった。

そこで不満を抑えるためにベルギー当局がとった策は、**ツチとフツの立場を逆転させる**ことだった。選挙を実施してフツの大統領を誕生させたのだ。

不利な立場に立たされたツチの一部は、隣国のウガンダやケニアなどに逃亡した。国内の少数派に多数派を支配させて統治するという植民地支配の構造は、もろくも崩れてしまったのだ。

ルワンダの隣国ザイール（現コンゴ民主共和国）の難民キャンプ（1994年）

身分証明書を確認してから殺す

その後、１９６２年にルワンダはベルギーから独立し、ルワンダ共和国として新たな一歩を踏み出した。

国を統治したのはフツ系のカイバンダ大統領とフツのエリートで、国外に逃亡して難民キャンプでの暮らしを余儀なくされていたツチの帰還を認めなかった。

殺戮の痕跡が残るントラマ教会(2006年)(©Scott Chacon)

一方で、国外に逃亡していたツチはルワンダ愛国戦線を結成して新政府への反撃の機会をうかがっていた。そして1990年、ルワンダ愛国戦線が祖国に対して武力闘争に出て**内戦が勃発**した。

この内線は、国際社会が仲介に乗り出して一時は和平協定が締結されたのだが、1994年4月になって大量殺戮への引き金となる決定的な事件が起こる。当時のハビャリマナ大統領が乗っていた飛行機が何者かによって撃墜されたのだ。

この暗殺事件を多くのフツはツチのしわざだと考え、憎しみが一気に爆発した。虐殺で犠牲になったのは多くがツチで、暴徒と化した一部のフツは身分証明書で民族を確認してから殺したといわれる。

友人のツチをかくまっていた穏健派のフツも殺害対象となった。そしてルワンダの各地で教会に逃げ込んだツチ系住民を皆殺しにするという虐殺が行われた。

激しい虐殺はルワンダ愛国戦線が全土を制圧して勝利する7月まで100日にわたって続き、

100万人にものぼる犠牲者を出すという結果になったのだ。

内戦終結後のルワンダは、欧米の大国による援助を受けて「アフリカのシンガポール」と呼ばれるまでに目覚ましい経済成長を遂げた。

ただ、政治的には後退しているように見える。内戦終結後はツチとフツがともに政治を担っていたが、しだいにフツの政治家が追放され、**今ではツチが全権力を掌握している**のだ。

その中心人物が2000年に大統領に就任した元ルワンダ愛国戦線司令官のポール・カガメだ。しかも、カガメは憲法を変えて、2034年まで大統領の座に留まることを可能にした。欧米諸国もカガメの独裁については黙認している。

しかし、隣国では今も反政府勢力が爪を研いでいる。ルワンダがまた過去の悲劇を繰り返してしまう可能性もあるのだ。

歴史の流れ

ルワンダがベルギーの植民地になり国内が二分される

▼

部族対立が激化し大量虐殺が発生する

▼

虐殺後経済は発展したが緊張は今なお続く

テロと報復の連鎖の始まり

アメリカ同時多発テロ

2棟のビルに突っ込んだ旅客機

2001年9月11日、アメリカ人はもちろん、世界中の人々が信じられない光景を目にした。ニューヨーク、さらにはアメリカの象徴と言ってもいいマンハッタンのワールドトレードセンターの2棟のビルに、複数の旅客機が次々と激突したのだ。ビルは炎と煙に包まれ、やがて2棟とも崩落した。

また、ほぼ同時刻にアメリカ国防総省本庁舎（ペンタゴン）に、ハイジャックされた旅客機が突入し、1階から4階まですべてが崩落した。

人類史上最悪の自爆テロとなったこの事件で、3000人以上の命が奪われ、世界中が悲しみの底に突き落とされた。非人間的で理不尽なテロリズムの恐怖を、あらためて思い知らされた出

黒煙をあげるワールドトレードセンター（@ Michael Foran）

来事だった。

当時のジョージ・W・ブッシュ大統領は、これらのテロを、ウサマ・ビン・ラディン率いるイスラム系テロ組織アルカイダによる犯行と結論づけた。

これに対してアルカイダ側は肯定も否定もしなかった。しかし、このことをきっかけにして長期にわたる**「報復戦争」**が勃発したのである。

イスラム原理主義とアメリカの対立

そもそも、なぜイスラム系過激派は、それほどの反米感情を持っているのだろうか。

もともとイスラム原理主義者は、イスラム法を厳格に守っている。その立場からすれば、アメリカは金と快楽を追求する腐敗した国家である。

そのうえ、石油の利権をめぐる敵対感情がある。彼らはアメリカの石油メジャーが中東諸国の石油を掘削して、その利権を奪い尽くしたと考えているからだ。

また、1991年に始まった湾岸戦争の遺恨もある。イランがサウジアラビアへ侵攻しようとしたとき、アメリカはサウジアラビアに軍を駐屯させてその動きを牽制した。イスラムの二大聖地を擁するサウジアラビアが異教徒の国アメリカによって守られたことは、イスラム過激派にとって大きな屈辱だったのである。

ウサマ・ビン・ラディン(2001年)
(@ Hamid Mir/CC BY-SA 3.0)

そんな背景から長年にわたる敵対関係にあったアメリカに対して、ビン・ラディンが恐ろしい手段に打って出たのが同時多発テロである。

これを受けてブッシュ大統領は、すぐに**「対テロ戦争」の開始を宣言**した。敵はアルカイダとアフガニスタンのタリバン政権だった。ビン・ラディンはタリバン政権から支援を受けていたからだ。

長い「対テロ戦争」の始まり

2001年10月7日、9・11テロから1ヵ月もたたないうちにアフガニスタンに対する米軍の激しい空爆が始まった。アメリカの軍事力は圧倒的な強さを誇り、タリバン政権はやがて崩壊した。しかし、ビン・ラディンはタリバンの指導者たちとともに逃亡した。アメリカは最後の敵を逃したことになり、対テロ戦争は泥沼にはまっていく。

アフガニスタンの首都カブールには、親米の反タリバン政権が成立。ビン・ラディンは2011年にパキスタン国内でアメリカ軍によって殺害されている。

しかし、彼がつくったイスラム教スンニ派の過激なテロ組織は活動を続けており、アメリカとの戦いは今も続いている。

ビン・ラディン殺害作戦をホワイトハウス内で見守るアメリカの高官たち

世界各地で今も頻発するテロ事件

現在、対テロ戦争は、アメリカを中心とした有志連合と、イ

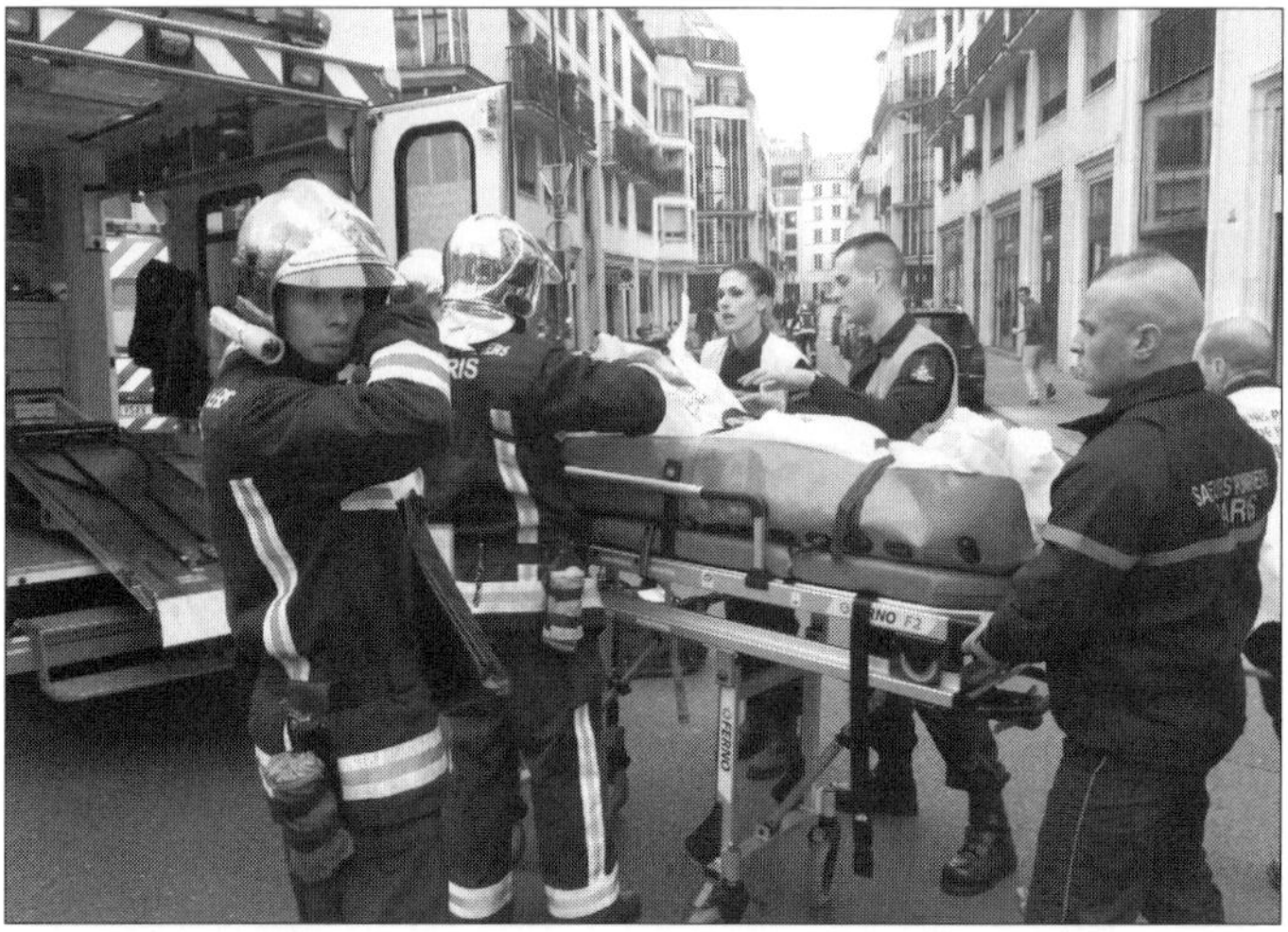

フランスの新聞「シャルリ・エブド」に掲載された風刺画に憤慨したイスラム過激テロリストは新聞社の社屋を攻撃し、12人を殺害した。（写真提供：AFP＝時事）

スラム過激派を中心としたテロ組織との戦いという構図になっている。

有志連合側には多くの自由主義諸国が参加しており、多国籍軍を結成して大量破壊兵器疑惑のあったイラクを攻撃した際には日本も参加した。

一方のテロ組織のほうは、イランやシリアなどの協力を得ながら、自由主義諸国に対する攻撃を繰り返している。

かつてのアルカイダを中心とした**テロ組織のネットワーク**も構築され、２００２年にインドネシアのバリ島で起こった爆弾テロ事件、２００４年にスペインで起こった列車爆破事件、そして２０１５年にパリで起こった同時多発テロなど、世界各地でテロ活動を続けている。

その活動は年々過激さを増しており、しかも、いつ、どこで起こるかわからないために**世界中が**

テロの脅威の中にいるといえる。

現在では、2001年の同時多発テロ以降、アメリカがタリバンを徹底的に叩きのめす行動に出たことが、果たして正しかったのかどうかの議論も行われている。アメリカ同時多発テロでは3000人以上の犠牲者が出たが、その後の対テロ戦争による犠牲者はそれをはるかに超えているのだ。

ビン・ラディンがいなくなった後も、2014年に新たなイスラム過激派組織であるISIL《アイシル》（イスラム国）が組織され、今も過激な活動を続けている。2015年には日本人ジャーナリストも犠牲になった。まだ終わりは見えていないのだ。

2001年9月11日を境にして世界は大きく変わったといわれる。それが最終的にはどんな結果をもたらすのか、その答えが出るのは、もっと先のことである。

歴史の流れ

ニューヨークで同時多発テロが起きる

▼

アメリカ中心の「対テロ戦争」が始まる

▼

世界各地でテロ事件が頻発する

武器の進化によって被害が拡大した

第一次・第二次世界大戦

大国の不仲が世界戦争に発展する

1914年6月、セルビア民族主義者の青年が、オーストリア＝ハンガリー帝国の皇太子夫妻を暗殺した。

大国としてのプライドを傷つけられたオーストリアは、セルビアに宣戦布告。そこにヨーロッパの列強が連鎖的に加わり、2つの陣営に分かれて戦いが勃発した。

2つの陣営とはフランス、イギリス、ロシアによる「三国協商」と、ドイツ、オーストリア、イタリアの「三国同盟」だ。**元はといえばフランスとドイツの不仲が原因**で、そこに利害関係の一致した者同士が集まってできたものだが、これがそのまま二大陣営となって戦争に突き進んでいったのだ。

日本も、当時締結していた日英同盟を理由にイギリス側について戦ったが、最終的には世界のすべての経済大国がどちらかの陣営について戦うことになった。

これが史上初の世界戦争となった第一次世界大戦のおおまかな構図である。

催涙剤を使用され目が不自由になったイギリス兵。前の人の肩に手をおいて移動しているところ。（1918年）

最新兵器によって大量の犠牲者が出た第一次世界大戦

第一次世界大戦は、それまでの戦争とは比べものにならないほどの被害が出た。

死者数は両陣営を合わせて１６００万人以上で、そのうち非戦闘員は７００万人にのぼった。

これは、それまでにない数の国が参戦したことや、戦局が長引いたことに加え、産業革命で大国の技術力が格段に上がっていたことなどが原因だ。

各国は次々に新しい兵器を投入した。ドイツは毒ガスや潜水艦、イギリスは戦車を開発し、他国も機関銃や戦闘機を大量に生産して戦場につぎ込んだ。

その結果、ドイツで行われた「ヴェルダンの戦い」では、両軍合わせて25万人、続くフランスでの「ソンムの戦い」では100万人が死亡したという。

国内では物資を大量に生産するために女性も軍需工場に借り出されるようになる。長引く戦争は、しだいに**国民総出の総力戦**となっていったのだ。

イギリスが開発し、世界で初めて実戦に投入した「マークI」(1916年)

核兵器が登場した第二次世界大戦

第一次世界大戦にはさまざまな要因が絡み合っていて、これといった中心人物もいない。しかし、戦勝国となったイギリスやフランスは戦争の責任を一方的にドイツに押しつけた。

ドイツは賠償金として、現在の日本円にして200兆円という巨額の支払いを命じられた。そのうえ、1929年に世界恐慌が起き、経済状態はどん底に陥った。

当然、ドイツ国民の間には強烈な不満が渦巻いた。そこに現れたのがヒトラー率いる**ナチス**で、さまざまな経済対策を実行してボロボロになったドイツ経済を鮮やかに立て直し、人々の熱狂的な支持を得た。

そして、植民地を確保しなければ生き残れないと主張し、チェコスロバキアやオーストリアを占領し、さらにポーランドに侵攻する。これをきっかけにイギリスとフランスがドイツに宣戦布告をし、第二次世界大戦が始まったのだ。

さらに、太平洋を舞台とする日本とアメリカの戦いが始まったことによって、ふたたび世界が戦場と化した。

第二次世界大戦では先の大戦よりもさらに高度になった兵器が投入された。

都市への空襲が一般的になったのも第二次世界大戦からだ。空からの無差別爆撃は、人々の戦意を喪失させることが目的だった。そのため、街は破壊され、膨大な数の非戦闘員の犠牲者が出た。

そして、開発されたばかりの原子力爆弾も使われた。原爆はたった一発で、広島で14万人、長崎

ドイツの都市ドレスデンが爆撃を受けた直後の様子（1945年）

原爆投下後の広島

で7・3万人（1945年末の推定）の人命を奪った。

最終的には、全世界で**5000万人を超える犠牲者を出す大惨事**となった。

6年あまりにわたって続いた戦争は、1945年5月にドイツが、そして8月に日本が降伏し、連合国側の勝利で終わった。

新たなる対立

すると、今度は連合国側でともに戦っていたはずのアメリカとソ連の対立が始まった。

ソ連は第一次世界大戦中、フランスやイギリスなどと同じように近代化をはかっていたが、戦争に物資をつぎ込んだために人々が疲弊し、共産主義勢力が強くなっていった。その結果ロシア革命が起こり、ソ連は第一次世界大戦から離脱してい